What Philosophy Can

# よき
# リーダーは

Teach You About Being

# 哲学に学ぶ

a Better Leader

ロンドン・ビジネススクール
A・レイノルズ／D・ホウルダー
J・ゴダード／D・ルイス
訳・石井ひろみ

Alison Reynolds
Dominic Houlder
Jules Goddard
David Lewis

# まえがき

本書を執筆しようと思ったきっかけは、世界各地でリーダーたちと仕事をし、彼らが抱えるストレスや孤独の大きさを痛感したことだった。また、そうしたリーダーの多くからも、誰もがいきいきと輝き、アイデアや能力が花開くような組織をつくりあげ、その一員になりたいとのメッセージを受け取っていた。

所属するコミュニティは、人間の心がまえや目的意識、やりがいに大きく影響する。そのため、職場をなるべく人間らしくすることは重要で、自分はもちろん、ほかの人々のためにもなる。一人ひとりの志や願いを尊重することにもつながる。

世界をよりよい場所にできるかどうかは、その努力がどのようなかたちであれ（製品やサービスを通してかもしれないし、政策や直接の支援によってかもしれない）、さまざまなアイデアが育まれ、全員の貢献が求められ、かつ重視される環境づくりにかかっている。これこそが、リーダーが専念すべき課題だ。

最近の歴史を振り返ってみると、現代のリーダーシップ観にとりわけ大きな影響をおよぼした視点はふたつある。ひとつは経済学で、生産性に注目する。もうひとつは心理学で、モチベーションを重視する。本書が提案する第三の視点は哲学で、簡単にいえば「〈善〉とは何か？」「正しい行動とは？」と問いかけることだ。

ピーター・ドラッカーは「マネジメントとはものごとを正しく行うことであり、リーダーシップとは正しいことを行うことである」と語った。[※1]何が正しいかと問うことは、哲学の問題といえる。哲学者の視点を採り入れてみれば、現代のリーダーたちが抱える課題になんらかのヒントが見つかるかもしれない。

人間にはもともと、物事に意味を見出そうとする性質がある。自分はなんのために生きているのか？「人間らしい」とは？「よく生きる」とは？　どのような人生が理想的かは、古くから哲学者たちの重要なテーマだった。彼らは、多くの人にとって「よい人生」とは、単なる快楽の追求というより、もっとも重要なことを見きわめ、それをきちんと言葉で表現していくことだと認識していたといっていい。

哲学は、人間が「よく生きる」ためにある。本書では哲学を通して、職場で「よく生きる」とはどういう意味かを考えてみたい。あなたがリーダーとしての役割をこれまでとは違う視点から眺め、リーダーシップにまつわる「常識」を疑い、新たな質問を投げかけ、優先順位を見なおし、リーダーとして次の段階に進むために少しでも役立てば幸いだ。

誰もがいきいきと輝き、アイデアや能力が花開く組織——そんな組織をつくるにはどうすればいいか。偉大な哲学者たちの意見を参考にしながら、一緒に考えてみよう。

（第5章の内容は、「ロンドン・ビジネススクール・レビュー」[※2]に掲載された文章と一部重複する）

## 第3章 戦略も人間らしく　81

## 第4章 創造性とクリティカルシンキング 109

## 第5章 「お手本」のありかたと公平さ 145



## 第6章 権限という贈り物 173

## 第7章 意味とコミュニケーション 212

## 第8章 「エンゲージメント」から「エンカウンター（出会い）」へ 246

## 第9章 価値観と倫理的多元主義 286

# 第10章 自分にできることを行う自由 320

WHAT PHILOSOPHY CAN TEACH YOU
ABOUT BEING A BETTER LEADER

by Alison Reynolds, Jules Goddard, Dominic Houlder, David Lewis

# はじめに——職場に人間らしさを取り戻そう

## なぜいま哲学なのか

職場での自分は「会社の単なる道具」「他人のために機能する歯車のひとつ」にすぎない——そんなふうに感じたことはないだろうか？　あるいは、あなたの部下はそんな思いを味わっていないだろうか？

心当たりがあるなら、本書はあなたの役に立つだろう。本書は、これまで私たちが一緒に働く機会に恵まれた、さまざまな地位にあるビジネスパーソンたちとの対話から生まれた。その人たちの職場も百人百様だ。世界的な大企業もあれば地方の中小企業もある。民間だけではなく公共の組織も多く、その活動地域も世界のあらゆる大陸におよぶ。対話のなかで毎回感じたのは、誰もが「いきいきと働きたい（人間らしく仕事をしたい）」と望み、「ほかの人もそうなるような手助けがしたい」と考えていることだった。

本書の著者である私たち4人はみな、一流と呼ばれるビジネススクールに所属している。通常、こうした教育機関では「ビジネスの世界をよりよいものにする」といった趣旨の目標を掲げている。素晴らしいことだと思う。では「よりよい」とはいったいどういう意味だろう？ここ数十年間、ビジネススクールは、経済学とファイナンスに重きを置いてきた。その観点から考えれば、よりよい職場とは（あなたという人的資源を含めた）各種のリソースをさらに効率的に活用し、職場で働く人全員が利益を分かち合える環境ということになる。

また昨今注目を集めている経営心理学によれば、よりよい職場とみなされるためには効率とお金だけでは不十分で、一般的な経済学の範疇に入らない要素にも目を向ける必要がある。つまり、よりよい職場とは、自分の仕事に興味がもて、業務にうまく順応でき、前向きに取り組める環境でなければならない。

もちろん、リソースを有効に活用できるかとか、快適に働けるかといったことも重要だ。経済学や心理学から学べることはたくさんある。経済学は効率的に働く方法を教えてくれるし、心理学はいい気分になる方法を教えてくれるはずだ。だが、それだけでは足りない。哲学からも学ぶ必要がある。経済的な成功や、つかの間の快楽を超えて考えたとき、人間にとって「よいもの（善）」とは何だろう？それこそが倫理学（道徳哲学）において考察され続けてきた中心的テーマといっていい。人間にとっての「よいもの」は、少なくとも人として成長し充実した人生を送るために役立つもののはずだ。

本書では、偉大な哲学者たちの声を現代によみがえらせ、「よい人生とは何か？」についての彼らの考えに耳を傾けてみたい。そこから得たヒントを職場に採り入れられるようなら、リーダーとしてであれ、スタッフのひとりとしてであれ、あなたも同僚たちも、もう自分を「道具」や「歯車」などとみなさずに済むだろう。

職場に人間らしさを取り戻すきっかけを生み出せたら、どんなに素晴らしいだろう。そうした職場で仕事ができれば、あなたもいっそう輝けるに違いない。本書では、「〈人間らしい〉とは？」という問いについてさまざまな哲学者がどう考えたかを紹介している。動物なら「よい人生とは何か」などと考えはしないし、もし奴隷の身であれば自分自身や世界を変える自由はない。しかし人間の本来の姿はそうではない。

ここではまず、カール・マルクスの意見を紹介してみたい。ビジネススクールで教える人間がまたどうしてマルクスを？　といぶかる人もいるかもしれない。たしかに、著者である私たちもビジネス系の科目のシラバスにマルクスの名を見たことはない。だがマルクスは、同時代の職場に人間らしさが欠けていると考えていた。そうした危機感こそ、私たちが本書を著した最大の動機だ。

1844年、若く才能あるジャーナリストだったマルクスは、労働者の悲惨な状況にいたく憤慨していた。彼は、そうした状況にある労働者たちについて次のように書いている。

「……仕事を通して自己実現するどころか自己否定するようになり、幸せを感じるどころかみじめな気分に陥っている。気力や体力がみなぎるどころか頭も身体もくたくただ。だから労働者たちは、本当の自分でいられるのはプライベートな時間だけで、仕事中はそうではないと感じている[※1]」

## いかにして職場から人間らしさが失われたか

マルクスが取り上げた問題は、哲学の世界では「疎外」と呼ばれている。これは、当時のヨーロッパが経済の効率化を推し進めようと躍起になっていたことの代償といえるだろう。マルクスも述べているように、仕事を効率化し、多くの富を生み出そうと思えば、家内制手工業者を各自の小屋から引っ張りだし、周囲に増え続ける近代的な工場で働いてもらわなければならない。

だがマルクスは、そうした家内制手工業者たちを美化し、彼らはかつての個人事業主としての働き方を満喫していたと考えていた。一介の部品だけでなく、完成品を自らの手でつくり出せることに誇りを感じ、すべて自分で決めているという感覚をもち、他者とつながる自由を楽しめたからだ。マルクスが理想とする世界では「製品は、つくり手の本質を映し出す鏡になる」はずだった。

ところが、効率化を進めるため、ひと昔までの労働者たちは管理者の指揮下におかれ、業務分担を調整してもらわねばならなかった。高価な工業機械を最大限に活用するためには、工場に一定のルールを設ける必要があった。そのため、自分の勤務スケジュールを自分で決めることも、自由気ままに振る舞うことも許されない。

工場に一歩入れば、笛の合図で勤務時間の開始や終了を告げられる。完成品をつくり出す代わりに、精緻な設計図にもとづいて一連の単純作業を繰り返すようになっていく（そのうえ流れ作業なので、勝手に手を休めてはならない）。家内制手工業者とは比べものにならない額の報酬をもらえるとはいえ、人間らしさに欠けた職場で働き、自らの人間性も放棄しなければならない。マルクスにとってその構図は、ゲーテの小説『ファウスト』に登場する悪魔との取引のようなものだった。この小説の主人公ファウストは、物質的な成功を手に入れるために悪魔に魂を売り渡してしまう。

マルクスは、寛大な経済的支援者でもあった盟友フリードリヒ・エンゲルスとの親交を通し、労働環境が人々に与える影響について実情を知っていた。エンゲルスは、ランカシャーに工場をもつ裕福な実業家の息子だったからだ。

マルクスが描いた、自立している家内制手工業者の誇り高き姿は、誇張にすぎないことは言うまでもない。もしかしたら彼らの仕事は制約が多いだけでなく、作業環境も危険で不衛生だった可能性もある。材料を提供して完成品をもち帰る商人（または歩合制の代理人）に過酷な条件を突きつけられることもあったのではないだろうか。

その結果、幼い子どもがいたら、機織り仕事をひとりずつ交代で見てもらうのが精一杯という場合もあったかもしれない。それでもマルクスにとっては、「工場でモノとして働くこと」よりはましだった。そのような働き方は、私たち一人ひとりの個性を否定し、一人前の人間として生きることすら許さず、ただの「労働力」に変えてしまうからだ。

「科学的管理法の父」と呼ばれる経営学者フレデリック・ウインズロー・テイラーは、マルクスが労働者の疎外を指摘した70年後にこう書いている。
「これまでは人間が第一だったが、これからはシステムが第一になるべきである」

マルクスを論じることは、とうに時代遅れになっている。マルクス経済学者たちは1930年代から1940年代のあいだに学界での権威を剥奪され、マルクス主義を採り入れた国家では社会的・政治的トラブルが続出し、経済も悪化していった。1989年、マルクス主義的な体制は旧ソビエト連邦と東欧諸国において次々に崩壊し、マルクスの思想は否定されるようになった（ただし皮肉なことに、マルクス思想を政治的スローガンにいまもとどめている中国ほど資本主義世界で成功している国も珍しい。中国人エリートたちに言わせると、その秘訣は「中国式社会主義」にあるらしい)。

一方、マルクスが糾弾した労働環境の劣悪さは徐々に改善されていった。政府の介入と、第一次・第二次世界大戦をきっかけに労働組合や共同体主義が台頭したことが大きな理由だ。会社は父親のような温かい目で従業員を見守り、一人ひとりの権利を尊重するようになった。昇給制度も確立され、「疎外」の問題は過去のことのように思えた。

しかし生誕から200年経ったいま、マルクスはよみがえった。ヨーロッパ各地でふたたび高まっている左寄りの政治運動や社会運動においては、またもやマルクス主義が思想的なバックボーンとなっている。

トマ・ピケティの新マルクス派的著書『21世紀の資本』は、2013年に刊行されて以来、経済学のほかのどんな書籍よりも売れている。それはなぜか? グローバル化や技術革新が進むにつれ、職場から人間らしさが消え、不平等や権益の独占が蔓延するようになったからだ。

アメリカでは、グーグルとフェイスブックの2社がオンライン広告市場シェアの3分の2を手中におさめ、ネットショッピングの分野ではアマゾンが40パーセントの市場シェアを制している。世界に目を向けても、インターネット検索の90パーセント以上がグーグル経由となっている地域もある。こうした企業は、いわゆる「勝ち組」だ。だが「その他おおぜい」

に属する企業は、日々激化する競争に直面せざるをえない。そして、大部分の人々が働いているのは「その他おおぜい」の組織だ。

こうした状況下では、それぞれの企業が生き残りをかけて、より効率のよい組織をめざすことになる。そのとき犠牲にされるのは、そこで働く人々である。昇給のペースが物価上昇のペースに追いつかない人も多い。管理職と一般職のどちらであっても、雇用は不安定になりつつある。なんとか組織にとどまれたとしても、職場ではかつてないほどがんじがらめにされる。増加の一途にある「オンコールワーカー」(事業主に必要なときだけ呼び出されて短期間の就労を行う契約労働者)ともなれば、雇用の保証はまったくない。もちろん、過去の労働者たちと比べれば、本書の読者の暮らしはこれからも豊かであり続けるだろう。ごく一部の例外があったとしても、富を得るために効率を追求するファウスト的な取引はもはや必要ない。

ただし、そうした取引は「疎外」を抑えこむ役割も果たしていた。しかし、「人間性の疎外」はふたたび問題になりつつある——それも急激に。はるか昔にマルクスが鳴らした警鐘は、現代の職場でも重大な意味をもつ。マルクスが提唱した政治的・経済的な処方箋を「狂気」とみなして無視したとしても、職場で人間性が疎外されているという彼の意見は心に留めておくほうが賢明だろう。マルクスの疎外論は、今日のさまざまな議論に大きな影響を与えている。

## 人間性の疎外に苦しむのはリーダーも部下も同じ

ここで、グローバルに事業を展開するフランス系エンジニアリング会社の人事責任者、ドロレスのケースを紹介しよう。コロンビアの首都ボゴタで働く彼女は「昔はすごく自由な環境だった」と語る。

「上司のマンフレッドは、この国での事業を自分のビジネスみたいに考えていたの。もっと正確に言うなら、チーム全員が、仕事を『自分ごと』とみなして取り組むべきだというのが彼の持論だった。だから私たちも全身全霊で仕事に打ち込んだ。休日出勤や深夜残業も当たり前だった。でも、毎日がすごく楽しかったし、チームのみんなとも一体感があった。コロンビア人としても誇らしかった。業務を通してさまざまな施設の建設にかかわることで、自分の国に貢献できているって思えたから」

それほど順調だったのに、なぜこれほど大規模な事業改革が必要だったのか、と私たちがたずねると、こんな答えが返ってきた。

「それは——業務効率の面ではとびきり優秀だったわけじゃなかったから。コスト関連の比率について、リヨンの本社からたずねられることがどんどん増えていった。でも私たちは、顧客に奉仕してその心をつかみ、他社よりも高い価格を払ってもらっていたから、埋め合わせは十分できてると思ってた。こんな結末が来るなんて誰も予想しなかった」

彼女が言っているのは、同社が世界規模で実施した抜本的な事業再編のことで、私たちのひとりもそのプロセスに携わっていた。

「地域ごとに割り当てられてた業務が本社に一元管理されるようになって、各国に配置されてた支社長もいなくなった。以前の上司のマンフレッドは、いまはラテンアメリカ地域の営業部門を統括してる。顔を合わせる機会はもうないかな。コロンビアの工場も2か所閉鎖になった。旧体制での私の最後の仕事は、アルゼンチンから調達するほうがなぜ合理的かをその工場のチームメンバーに説明することだった。でも、実際にみんなの顔を見たら、何も言えなかった。これがグループの方針です、って伝えるのが精一杯だった」

彼女は事業再編後の自分の業務についても話してくれた。いまはグローバルな役割を担うチームの一員となり、従業員の福利厚生を担当しているという。ボゴタ市内の中心部にあった事務所が閉鎖されたので、自宅勤務だそうだ。「新しい上司はリヨンにいて、1年くらい顔を合わせてない」という。

「もちろんスカイプを使ってしょっちゅうオンライン会議はしてるけどね。でも、彼の直属の部下54人が全員常にオンライン中という感じだから、私はビデオ機能をオフにして、もっぱら報告書を書いてるの。あのいまいましい報告書をね！　おかげで元の部署の人たちには、本社のスパイみたいに思われてる」

会社の事業再編に振り回される中間管理職の悲哀はおなじみだ。では、幹部候補生である

MBAプログラムの卒業生たちはどうだろうか。名門ビジネススクールの教職員である私たちは、学んだ知識を活かして輝かしいキャリアの第一歩を踏み出そうとする、聡明で意欲あふれる若者たちを毎年おおぜい見送ってきた。旅立つときの彼らは、自らの宇宙の支配者であり、犠牲者などではない。卒業後の就職先としてこれまで数十年間にわたって人気を集めているのは、マッキンゼーやベイン、BCG（ボストンコンサルティンググループ）といった戦略コンサルティング会社。こうした組織に就職すれば素晴らしい給料をもらえる。しかも、多額の支度金が支給される場合すらある。

だが、学生がこうした組織に惹かれる理由は、単に報酬が多いからではない。一流のコンサルティング会社で働けば、優秀な同僚たちと少人数のチームで力を合わせ、国際的な大企業のリーダーたちが直面するさまざまな難問に挑戦できるからだ。それも29歳にして、である。ただし、ため息混じりにこんな報告をしてくれた教え子もいる。

「戦略コンサルタントとして大活躍しようと、やる気満々で働き始めたのはよかったんですが、現実はそんなに甘くありませんでした。ぼくに与えられた業務は、サウジアラビアの公的年金制度のごくマイナーな部分のそのまた一要素を、まる1年かけて分析することだったんです」

戦略コンサルティング会社であれ、弁護士事務所や建築事務所あるいは各種の医療機関であれ、一流の専門家集団では、専門知識を備えたスタッフにかなりの自由裁量権を認め続けるだろう。それは自分たちの仕事に対する誇りであると同時に、大事な顧客に信頼されるアドバイザーとしての自負の表れでもある。だがそうした組織であっても（世界的に事業を展開する大手専門事務所のシニアパートナー、バーバラが残念そうに語ったように）、顧客のCEOたちと親密な関係を築きあげ、創意工夫して仕事をするより、自分の仕事だとは誰も言えない全世界規模の事業プロセスを売り込むほうがよほど出世の近道なのである。

「歯車になった気分」とバーバラは語っていた。

「（あなたは経営幹部なのだから）歯車だったとしても、ご自分の機械の歯車でしょう」と私たちが指摘すると、彼女は心底驚いたようだった。

バーバラは組織内で大きな影響をおよぼせる地位にあり、パートナーとして多額の報酬を得ていた。しかし彼女が抱える問題も、前出のドロレスやＭＢＡプログラムの卒業生と明らかに同じだ。取り換え可能の「モノ」として扱われ、誰かの役に立っているという実感は得られず、「自分はただのリソースにすぎない」と感じてしまう（ただし、かなり値が張るリソースではある）。彼女の話は、人工知能やロボット工学の発達が専門職の業務にどのような影響を与えたか、ということにまでおよんだ。

「新人向けの業務をすべて機械化してしまったら、新しく採用した若者をどうやって教育すればいいの？　もう専門職なんていらないってこと？」

〈疎外〉の問題について調査したことで、私たちはさまざまな人に出会った。自らの知識をプログラム化するよう命令され、専門性を手放すことを余儀なくされたＩＴプロフェッショナルもいた。マニュアル化された「既製品」の授業をそっくりそのまま（ジョークさえ変えずに）提供するように指示されている大学の講師もいた。やる気を失った中間管理職も数えきれないほどいた。そうした人々は、職場において同僚や自分の製品から切り離され、人としてのアイデンティティからも〈疎外〉されていた。

あなたの場合はどうだろう？　正社員として働いている人もいるだろうし、「ギグエコノミー」全盛の時代なので、従業員としての権利を保障されない請負業者のひとりとして単発の仕事をしている人もいるかもしれない。どちらにしても、ここまでに紹介したような経験（人格をもたない「モノ」として扱われた経験や、他人をそう扱った経験）はあるだろうか？　とくには思い浮かばないという人は、現代人の時間とのかかわり方について考えてみよう。

ある同僚いわく、「忙しい病」は効率化を追求しすぎたせいで人間疎外的な考え方が生じている明らかな兆候だそうだ。「忙しい病」にかかると、自分や他人のために使える時間がまったくない気がしてくる。次に挙げる質問を自分にたずねてみよう。

あなたは電子レンジを使いながら、その30秒間で完了できるタスクを探すタイプだろうか？　飛行機や電車にぎりぎりで間に合うと、必要以上にうれしくなるか？　車の運転中に運転以外のこともしたくなるか？　昼食は自分の机で（それもメールをチェックしながら）済ませがちだろうか？　歯を磨きながら、ほかの用事も済ませようとするか？　行列に並んだり、信号待ちをしたりしているとイライラするか？　携帯を使うたび「なんでこんなに動きが遅いんだ」と腹が立つか？　パソコンを立ち上げるとき、起動が遅くてうんざりするか？　人の話をよくさえぎりたくなるか？　電話会議の最中に「内職」しがちだろうか？

もうひとつ、私たちのお気に入りも紹介しておこう――エレベーターに乗ると、「閉」のボタンを連打してしまうだろうか？（この質問は、勤務先の建物にいるときに思い出してみるといい）これらはすべて〈疎外〉の兆しで、心が荒みつつある証拠なのだ。

ここまでの話で思い当たるふしがあっただろうか？　あったのなら、本書はあなたのために書かれた本だ。本書では、カール・マルクスが指摘した問題に向きあい、職場で人間らしく輝く（他者を「取り換え可能なリソース」とみなしたり、自分自身がそうした存在になりさがったりするのではなく、だ）にはどうすればいいかを考える。リーダーの立場にある人にも、それ以外の人にも役立つ内容にしたつもりだ。

なお、本書では「リーダー」という表現を、あらゆる組織のあらゆる種類のリーダーという意味で用いている。正社員でも、請負業者でもかまわない。職場になんらかの影響をおよぼす人は、その影響の内容や大小にかかわらず、全員、自分を「リーダー」だと思ってほしい。ちなみに、リーダーの立場にない人についても触れる理由は、率いられる側の立場であっても（ここには私たちも含まれる）、「モノ化」することなく人間らしく輝けるよう努める責任があるからだ。

覚えておこう。〈疎外〉はファウスト的な取引の周囲で生じる。人間らしさの喪失は、驚異的な効率化が進み、かつてないほどの物質的な豊かさを享受できるようになった代償といってもいい。とはいえ、そろそろ取引の条件を変えてもいいのではないか。昨今、ＡＩ（人口知能）やロボット工学の分野では技術革新がめざましい。そうした技術の進歩を活かして効率化を進めながら、職場に人間らしさを取り戻すことは無理なのだろうか？　いや、無理ではない。ただし、そのためには全員が努力する必要がある。部下はすべてリーダー任せにせず責任を共有すべきだし、リーダーは自らの権限や影響力を使って、〈疎外〉の鎖が少しでも緩むように努めるべきだ。

## 本書の使い方

私たちは、クライアントや教え子との対話をもとに本書を執筆した。また、彼らが語ったことのなかでも、とりわけ多くの人に共感してもらえそうな内容に焦点を当てた。本書で取り上げているのは、人間らしさが日々失われている現代の職場で誰もがぶつかるであろう問題ばかりだ。

第1章では、〈疎外〉の感覚をやわらげ、やる気を出すために心理学がどのようなアドバイスをしているかに注目している。ただし私たちは、心理学は「解決策」にはならないとの結論にいたった。職業人としてであれ、別の意味であれ、「よい人生」を送るためには「いい気分」になれるかどうかはそれほど重要ではない。

もっと重要なのは、自分にとって「よいもの（善）」を追求し、人間らしくいきいきと輝くことに積極的になり、もてる可能性を最大限に発揮することだ。そこで出番となるのが哲学だ。「よい人生とは何か」を考えるとき、哲学は客観的な視点を提供してくれる。ちなみに英語の「ethics」という言葉には、もともと「倫理的な考え方」という意味があり、語源である古代ギリシア語「éthos」のもっとも適切と思われる解釈は「人格」である。「最高の人生」とは、自分の人格を最大限に高められるような人生を意味するはずだ。哲学は、そのように生きようとする際の客観的な指針になる。

第2章では、いよいよ哲学の教えに正面から向きあう。まったく異なるタイプの大哲学者、アリストテレスとニーチェに登場してもらい、現代の職場環境をどう思うか、さらにそうした職場で〈疎外〉を克服し、いきいきと輝くにはどうすべきかを質問したい。

アリストテレスは、人間は動物とは異なると考えた。また、すべての人間をひとくくりにすることは不可能だと考えた。具体的に言えば、アリストテレスは「奴隷になってもしかたない人」とそれ以外の人がいると考えていた。どちらの場合も、違いは「理性」の有無にある。動物は本能にもとづいて行動し、奴隷は命じられるがままに行動する。

一方、自由な市民となるべき人は主体的に判断し、自らの行動を選択する。さらに彼らは、自分の利益だけでなくコミュニティにおよぼす影響をも考慮する。

もしアリストテレスがタイムマシンに乗り込んで2500年の時を超え、いまの時代にやって来たとしたら、現代の組織にはびこる「隠れ奴隷制度」や過剰な「動物的本能」に仰天し、悲嘆に暮れることだろう。アリストテレスにとってのリーダーとは、教師として重要な役割を担う存在であり、ほかの人が自らの頭で考えて合理的な判断を行い、よりよい人生を送れるよう支援する義務を負っていたからだ。

19世紀後半に活動したフリードリヒ・ニーチェも、同じく「人間らしい生き方」や自律性について思索した。ただし、その方向性は異なっている。ニーチェにとって「真に人間らしく生きる」とは、自らの人生を芸術作品とみなし、もてる才能を最大限に発揮して生きることだった。また彼は、「動物的本能」は抑制されるべきものというより、その情熱をうまくコントロールして創造活動に活かすべきだと考えていた。

リーダーは、創造的な仕事をする部下が存分に活躍できるよう配慮し、偉大な仕事をする妨げになりそうなものは率先して取り除いてやらなければならない。現代の職場には、アリストテレス的な理性とニーチェ的な情熱の両方が必要だ。リーダーの使命は、このふたつを共存させることだといえる。どれほど矛盾する存在のように見えたとしても、やり遂げるしかない。

　第3章のテーマは戦略で、現代の組織の方向性がどのように決定・実施されるかについて考えていく。残念ながら、いわゆる「現代的な戦略」は人々が人間らしく生きる妨げになりがちだ。なぜなら、そうした戦略の前提にある経済学の理論が、競争優位性を備えるように人々に促しているからだ。そうしなければ、「勝ち組」と「負け組」とで構成される世界で生き残り、成功するのは不可能だとささやきかける。

　こうした概念の背景には、「人間はしょせん利己的な存在だ」というきわめて悲観的な世界観がある。人はみな敵同士であり、限られた富や成功を奪いあっているという考え方だ。だが、対照的な世界観をもつことも不可能ではない。つまり人間には自分本位の衝動が生じるが、その方向は選択できると自覚する。これがブッダ（仏陀）の哲学だ。現代の職場に当てはめれば、価値の獲得よりも価値の創造を重視し、敵対的な「エゴ」システムよりも協調的なエコシステム（共存共栄関係を築くビジネスの生態系）を発達させるように努め、未来をコントロールしようとあがくのではなく先の見えない状況でも輝こうとする、といった考え方につながるだろう。

　第4章では、創造性とクリティカルシンキングを取り上げる。既存の行動方針に疑問を感じたら、常識をもとに判断しなさい、と部下（そして自分自身）に推奨しているリーダーは多い。第3章で触れた現代的な戦略についても同様で、多くのリーダーはこう言うだろう。「周囲は敵だから、自分たちは戦う必要がある。それが常識だ」と。

だがここでは、20世紀を代表する哲学者のひとりであるカール・ポパーに登場してもらい、そうした世界観に一石を投じたい。ポパーの考え方を紹介することで、ポパーのような批判的合理主義者になることを勧める、といってもいい。もちろん批判精神は、あらゆるアイデアや提案を検討するときに欠かせない。だがポパーによれば、もっとも検討する価値があるアイデアや提案とは、常識的に考えればもっともありえなさそうだが、それでも批判に耐えうるものだという。

この章では、ポパーの思想を用いて、現代のリーダーシップにまつわる「常識」を根底からくつがえしてみたい。素晴らしい成果を得るためには、全員で足並みをそろえてやみくもに頑張るよりも、真実を発見し学ぼうとする姿勢がカギになる。成果を生むのは、「ベストプラクティス」ではなく独自のアプローチだ。失敗を避けるのではなく、失敗は貴重な経験ととらえる文化こそが重要なのだ。

章末では、あなたの組織に試行錯誤する文化を根づかせ、批判精神を奨励していくための実践的なアドバイスを紹介する。もしリーダーが、言葉で命令する代わりに行動や態度で手本を示したら？「何が公正か」を一方的に押しつけるのではなく、部下に意見を求めたら？

第5章では、20世紀アメリカの哲学者ジョン・ロールズが提唱した「無知のベール」という思考実験に挑戦してもらいたい。この思考実験では、ゲームのルールを決める際、自分がそのゲームでどんな立場になるかわからない状態で決める。だがその前に古代ギリシアの哲学者プルタルコスの助けを借り、リーダーが手本を示すことの威力についても考えよう。あなたはリーダーとしてどう振る舞い、どんなことに時間を費やし、どんな人々と時間を過ごしているだろう？　人々が啓発されるのは徳のあるリーダーだ。リーダーに徳がなければ、〈疎外〉の感覚はさらに深まっていく。

第6章では、エンパワーメントに対する見当違いのアプローチに焦点を当てる。エンパワーメントは、現代の職場において一種のマントラのようになっている。ただし皮肉なことに、多くの組織が採用しているアプローチは、人々に自分は無力だと思わせ、本書が問題にしている〈疎外〉を深刻化させるきっかけにもなる。原因は、力《パワー》の出所を正しく理解していないことにある。

力《パワー》を生み出すのはリーダーではなく、一人ひとりのメンバーだ。17世紀イギリスの哲学者トマス・ホッブズによれば、国王は絶大な権力をもっているように見えるが、しょせんは国民の総意の代弁者にすぎない。国民が自らの権限を王に託すのは、平和な社会で全員が繁栄できるようにしたいからであり、どんな権限を託すかを決めるのは国民自身だ。

さらにこの章では、18世紀の哲学者イマヌエル・カントの助けを借りてホッブズの議論を発展させる。そして、リーダーシップとは、人々が自らの意志で行動できる余地をつくり出すことだと示したい。もちろんこのとき、「他者への義務」という制約は存在する。そしてリーダーとしてのあなたの仕事は、組織の目的に沿ったかたちで「他者への義務」とは何かを身をもって示すことである。覚えておこう。権限とは、ほかの人々からの贈り物なのだ。そのため、いつか取り上げられてしまう可能性もおおいにある。そうなると、あなたの手元に残るのはりっぱな名刺だけかもしれない。

組織が成長し、規模が大きくなってくると、リーダーはコミュニケーションを「タスクを完了するための手段」とみなすようになる。そこで第7章では、なぜコミュニケーションが一方通行になってしまったか、というテーマを取り上げる。

「コミュニケーション」と「一方的に指示すること」とを混同しているリーダーは多い。しかし、部下に命じただけではあなたの望みは実現しない。残念ながら、それが現実だ。こうしたテーマを扱うにあたっては、2世紀のストア派の哲学者、エピクテトスの思想が参考になる。世の中には思うようにならないこともある、無理になんとかしようとしても余分な痛みを生むだけだ、というエピクテトスの指摘は、私たちに新たな知見をもたらした。リーダーも、その考え方にならって「人々の反応は思いどおりにはならない」ことを理解する必要がある。

この章では、エピクテトスの教えを心に留めつつ、18世紀のスコットランドで活動した著名な哲学者デイヴィッド・ヒュームのアドバイスにも耳を傾けたい。ヒュームは、新しい情報に対する人間のもっとも重要な反応は、頭ではなく心のなかで起きると論じた。つまりリーダーは、意味づけがなされるための機会や環境を積極的に提供すべきなのだ。実際、もっとも重要なコミュニケーションは、部下からリーダーへのコミュニケーションである。その逆ではない。第7章では、「有意義なコミュニケーションとは何か」というテーマに触れ、対話を通して互いに学び合いたいのか、それとも説得したいだけかを考えてみるよう提案した。

続く第8章では、第7章に関連するトピック「エンゲージメント」に注目する。リーダーは、部下に指示した内容が正しく遂行されるかどうかはもちろん重視するが、部下がその指示に賛同してくれるかどうかも同じくらい気にするものだ。この章ではリーダーと部下の関係に目を向け、エンゲージメントという概念そのものが職場から人間らしさを排除していることを明らかにしたい。私たちの考え方は、20世紀の哲学者マルティン・ブーバーの思想に影響を受けている。

ブーバーは、他者との関係について思索した。選択肢のひとつは、相手に人格があると考えないことだ。いわゆる〈我―それ〉関係で、組織においてきわめて頻繁に見受けられるアプローチである。そこでの他者は、あなたの意志を実現する道具にすぎず、関係は服従や「賛同」を通して認識される。

もうひとつの選択肢は、ブーバーが〈我―汝〉関係と呼ぶものだ。この関係においては、目の前にいる他者を「モノ」とみなして単に取引をするのではなく、きちんと人格をもったひとりの人間だと認める。ちなみにこのとき、意義ある関係を構築するために必要なのは、部下ではなくリーダーが積極的に努力することだ。

第9章のテーマは価値観だ。今日では、どんな組織のリーダーにも、その組織の価値観(たとえば誠実さ、顧客第一主義、起業家精神など)を宣言することが期待される。通常こうした試みは、どのようなことが自社で尊ばれるかを明確にしようという善意によって行われる。だがリーダーと部下の両方におなじみのように、「わが社の経営理念」や「コアバリュー」の唱和は冷笑や生あくびで迎えられる場合も多い。あのエンロン(テキサス州ヒューストンに存在していた企業。2001年に経営破綻した)ですら、自社の価値観を表明していた。それも真っ先に挙げられていたのは「誠実さ」だった。

ともあれ、この章における重要なメッセージは、「よい人生」は一通りではないということだ。全員にとって同じくらい有意義な価値観の組み合わせなど存在しない。そもそも個人は価値観をもてるが、組織はそうではない。

人の価値観は、生まれたての赤ん坊のときから大人になるまでに徐々に形成されたものであり、会社が「価値観キャンペーン」を展開したところですぐには変わらない。今回登場してもらう哲学者は、20世紀の偉大な哲学者で多元主義の主要な提唱者のひとり、アイザイア・バーリンだ。ここではバーリンに導かれながら、「よい人生」の解釈は人それぞれで、その解釈が互いに矛盾する場合も多いことを学んでみよう。

あなたがリーダーなら、従うべき価値観を羅列した「上からのお達し」に盲従すべきではない。上司の言うことと矛盾する「善」も存在するのだから。そうしたジレンマに向き合う勇気をもち、自らの行動を選択していくことが大切だ。ここでは、そのために役立つ倫理基準を養うヒントも紹介している。

最終章の第10章では、リーダー自身にスポットライトを当てた。いきいきと輝き、活躍する個人は選択する自由を備えている。だがそうした選択が失敗に終わったとしたら？　リーダーのなかには、「しかたなかった」と責任逃れをしようとする者もいれば、「そもそも選択の余地などなかった」と言い出す者もいる。

だがそうだとしたら、その人は自由を行使する際の制約について思い違いをしている。その制約は自主的に課したもの——つまり、自分の意志で選んだものだ。自由意志をもった人間としてルールに同意し、そのルールに違反したらどうなるかにも同意した。それなら、自分の行動がもたらした成功を喜ぶのと同じように、失敗した場合にも責任を負わなければならない。そうしなければ、自分の人間性を否定することになる。

ソクラテスは、気概をもつこと——自分の誇りを守ろうとすること——は人間ならではの特質であり、降参するのは最後の手段だと教えてくれる。そう考えていくと、リーダーとしての私たちの課題は「自分の利益や欲望や不安を超えた先にある、本当に守りたいもの」が何なのかを考えることかもしれない。

本書の目的は、あなたに「行動」を起こしてもらうことだ。どんな役職に現在あるかは関係ない。誰もが自分の職場を人間らしくする義務を負っている。自分自身のためにも、ほかの人々のためにも。

本書の読者の境遇はさまざまだろう。たとえば、私たちの同僚はこう言った。

「哲学には興味があるから読んでみたいけど、ぼくは〈疎外〉なんて感じていない。そりゃ、世の中にはひどい職場もあるだろうけど、ぼくの場合は違う。選択の自由も行動の自由も認められてるし、自分を表現できる機会も多いからね」

そうした人にはこうたずねてみたい。その素晴らしい状況は永遠に続くのだろうか？　その状況に対して、あなたは変わらず満足できるのか？　と。すでに充実感を味わっている人でも、本書を読むことで、その充実感をより持続可能なものにできるだろう。

ちなみに、本書の草稿をここまで読んでひどく気分を害した友人もいた。「そりゃ私は〈疎外〉されてるわよ」と彼女は言った。「誰でもそうなるわ。いわゆる『職場環境』を変えたくても何もできず、欲の皮が突っ張った無能な連中と毎日顔を突き合わせなくちゃならなかったら。私にできるのは、せめて少しでも残業代を稼いで、夕方に強めのジントニックを一杯引っかけ、5分間羽を伸ばせる元気が残ってるよう祈るくらいよ」

難しい注文かもしれないが、考えてみてほしい。たとえ職場の状況を変えられなくても、自分の反応は変えられないだろうか？　そのために本書の提案を活用できないだろうか？

ジョンは、四大会計事務所のひとつがロンドンに構えるメインオフィスのドアマンである。彼は厳しく規定されたセキュリティチェックの役割を担うと同時に、人々の名前を覚え、訪問者の行き帰りの際に人間味にあふれた対応をする名人でもあった。その会計事務所を統括するマネージングパートナーによれば、シニアレベルのアソシエイトが手を焼いていた顧客がらみの問題を、ジョンがみごと解決したケースも少なくないそうだ。その事務所では毎年、ジョンをダボスに派遣して、自社が設営するテントの入口で「ドアマン」を務めてもらっているらしい。ジョンは「歯車」では決してない。

制約を変えることが不可能なら、（ある程度は）自分を変えるという手もある。もしかしたらそうした制約こそが、今後どう変わりたいかを発見し、自分の夢を明らかにしていくカギなのかもしれない。

# 第1章 あなたの夢を取り戻してくれるのは誰か？

## 「夢の仕事」と「葬儀での弔辞」

私たちが教える学位プログラムのひとつでは、ある課題を出すことが恒例になっている。卒業後に就きたい「夢の仕事」はどんな仕事で、なぜ自分がその仕事にぴったりかを簡潔に書いてもらうのだ。こうしたプログラムに参加する学生は通常キャリア半ばで、実社会にある機会を現実的に把握し野心にあふれている。だからこそ学びなおすことを選択したともいえる。

しかし彼らが挙げる「夢の仕事」は、マーケティングや事業開発、財務といったおなじみの分野にとどまりがちで、その肩書も「○○担当副社長」「○○部門の部長」といった型どおりのものになる場合が多い。報酬面にも言及する傾向が見られるが、これはある意味しかたない。多くの学生が学費をローンでまかなっていて、卒業後はそれを返済していかなければならないのだから。

また、その「夢の仕事」に自分がふさわしい理由としては、これまでの昇進歴や表彰歴などがリストアップされている。「こうやって書き出してみると」ある学生が言った。「あまり『夢』って感じがしませんね。そのためにやってきたこともなんだか退屈に思えてきます」

しかし、この課題はじつは二段構えになっている。学生たちは「夢の仕事」について書いたあと、もうひとつ短い文章を書くようにあらためて指示される。第二の課題では、時計の針を40年ほど進め、ある場所で親友にどう評価されているかを想像して書いてもらう。その場所とは、悲しくも重要な人生の締めくくり――あなたの葬儀の場である。

書き終えた学生たちは、両方の課題をクラスメイトと共有し、感想を語りあうように奨励される。たとえば、「夢の仕事」と「葬儀での弔辞」のあいだになんらかの関連性はあったか。あったとすれば、それはどういう意味なのか。なかったとすれば、どういう意味なのか。ふたつの課題のうち、興味深く取り組めたのはどちらだったか。読んで楽しかったのはどちらだったか――あなたも本書をひとまず置いて、両方の課題に挑戦してみてほしい。

ほぼ間違いなく、弔辞のほうが情熱的で人間味にあふれ、人生を肯定している。一方、「夢の仕事」は、ともすれば事務的な口調になりがちで、その仕事をする人物ではなくポジションそのものに注目する傾向がある。だが論理的で明快という長所もある。弔辞のほうは

「よい人生を送り、世界をもっとよくしたい」というごくありふれた主張になりがちで、それなりに感動的だがあいまいな印象が否めない。

なお、この課題にはフォローアップの質問も用意されていて、在学中はもちろん、卒業後も折にふれて考えるように奨励される。その質問とは、「どうすれば『弔辞』に含まれる感動的な要素を、『夢の仕事』とその職場にも採り入れられるか？」と「どうすれば『夢の仕事』について書いたときの現実感と厳密さを、『弔辞』にも採り入れられるか？」というものだ。

## 「よい人生」を送るための心理学からのアドバイス

このふたつの質問の答えを知っています、そう主張するのが心理学者たちだ。

心理学には、1940年代に発足した人間性心理学と呼ばれる分野がある。アブラハム・マズローをはじめとする人間性心理学者たちは、人間には「仕事を通して自分の夢をかなえたい」という欲求があることを認識していた。マズローによれば、人間の欲求にはいくつかの階層があり、第一段階が食べものや寝る場所といった生理的欲求である。

人によっては、こうした食べものや寝る場所を（巨額のボーナスといったかたちで）かなり多めに必要とする場合もあるが、マズローによれば人間が欲するものはそれだけではない。

物質的な欲求がいったん満たされれば、「他者とかかわりあいたい」「職場で自分のアイデンティティを確立したい」といった欲求が頭をもたげ、最終的には「自己実現したい」、つまり自らの強みや可能性を最大限に発揮したいと願うようになる。これこそ「夢の仕事」と「葬儀での弔辞」を共存させる道であり、マルクスが指摘した〈疎外〉における究極の課題、すなわち「自分自身からの〈疎外〉」を解決するカギだという。

ビジネススクールはこれまでの約70年間で信頼と影響力を勝ちとり、おびただしい数のコンサルティング事務所や「教祖」、経営学入門書のベストセラーを世に送り出してきた。ビジネススクールで扱う領域はきわめて幅広いが、なかでも圧倒的な存在感を放つのが心理学だ。

今日のビジネススクールでは、組織行動論学科（教授や講師の大半は心理学者だ）は学内最大規模の学科として君臨している場合が多い。経済学やファイナンスを上回る教授数を誇り、博士課程に在籍する学生ももっとも多く、教育・開発プログラムの数も学内外で断トツ1位。「そもそも心理学は精神について考える学問なのだから、人間が自らのポテンシャルを最大限に発揮するために役立って当たり前。経営心理学は職場における自己実現のために有益なはずだ」と言ったとしたら、同僚の心理学者はみな賛成してくれるに違いない。

だが「自らのポテンシャルを最大限に発揮する」とはどういう意味だろうか。たとえば、マズローのいう「自己実現」が達成できた状態とは具体的にはどんな状態なのだろう？ また、どうすればその状態に達したとわかるのだろう?

このところ学術機関に急増している認知心理学者たちに聞けば、簡単に答えてくれるはずだ。「あなたは自己実現できていますか?」と相手にたずねればいい。その結果、数えきれないほど多くの調査ツールやアンケート、自己診断テストがあちこちで採用され、職場における自己実現やエンゲージメント(関与)の度合い、満足度が測られるようになった。そして、そうした測定を行えば、スコア向上につながる要素が判明し、それに力を注ぐことで職場をよりよい場所にできる、とみなされるようになった。

ただし現実には、従業員エンゲージメント調査を行っても、たいした成果は得られない場合も多い。それどころか、数値が落ちてしまった場合には、従業員に気持ちよく働いてもらおうと高価なプログラムに大枚をはたいた人事部をパニックに陥れかねない。

私たちのクライアントにも、この自己実現にもとづくアプローチを採用し、中間管理職数千人を対象にした支援プログラムを開発した組織がある。ある世界的な大銀行の本社人事部で、そのプログラムを通して、自行の戦略に人々がもっと「感情的にコミット」できるように支援したい、とのことだった。ただし、その「自行の戦略」じたい、あまり幸先のいいスタートとはいえなかった。「顧客中心主義」や「革新的な文化」をうたうばかりの、いわゆるお題目の寄せ集めだったからだ。

試験的に行われたセッションで漏れていた不満は、あるワークショップで明らかな反対意見に変わった。そのワークショップの目的は、その銀行のプロジェクトを成功させるために参加者が自主的に行動できるようになる、つまりプロジェクトの成否を「自分ごと」とみなせるように「エンパワー」することだった。

参加者たちは、少人数のグループに分かれ、これまでの人生でそうした気分を味わったときのことを語り合うように指示された。職場での経験を挙げた人は誰もいなかった。私たちが見学したグループでは、わが子の体育の授業でコーチ役を買って出たときのことを話したマネジャーもいたし、所属するモスクの資金集めに協力した経験について語った人もいた。その後、講師は参加者にこう言った。この銀行でご自身の業務を行っているとき、それと同じ感情を味わっている姿を思い浮かべてみてください。

「……どうしてですか？」ある参加者が言った。「なぜここで、そんなふりをしなきゃいけないんです？　どう見ても事実とは反対なのに」

その講師は残り少なくなっている愛想をふりしぼり、「賛同」の精神の重要さを説明した。

「それじゃ余計ひどい――私たちの知性に対する侮辱です。このワークショップへの参加は強制されています。勤め先の戦略や研修プログラムに『賛同』するかどうかなんて、私たちにお客並みの選択権があるみたいじゃないですか――どう考えてもないでしょ？　でもご心配なく。自分の知性を尊重してもらえて、この手の旧ソ連的なスローガンから解放してもらえれば、それなりにやりますから」

後日聞いた話によれば、その人事部ではさらに新たな研修――「マインドフルネス」を採り入れたストレスマネジメント研修――を導入し、全従業員に受講を義務づけたという。

誤解のないように言っておくと、この人事部はよかれと思ってやっている。従業員を侮辱しようという意図などまるでなく、みなに気持ちよく働いてもらいたいと心底望んでいる。だがそこに、本書の中心テーマにつながる根本的なずれがある。

「エンパワー」されたように感じても、実際に「エンパワー」されているとは限らない。言い換えれば、物事に関与し、自己実現できている（あるいは昨日よりは自己実現できている）ように思えても、真の意味で自己実現できているとは限らない。

たとえば「自分は職場で充実している」と感じ、「従業員エンゲージメント調査」でその度合いを数値化して答えてさえいたとする。しかし、その回答は「真に職場で充実しているかどうか」の指標としては必ずしも当てにならない。「いい気分」になることと「よい人生」を送ることは、必ずしも同じではないからだ。

## 「いい気分」になってなぜ悪い？

何も悪くない――ただし、それを自己実現のリトマス試験紙のように思い込まないほうがいい。というのも、これから説明するように、心理学的な視点からのアプローチには本質的な弱点があるからだ。

心理学者たちは、「いい気分」や「幸せ」かどうか――「よい人生」を送っているかどうか――は科学的な手法でわかると主張する。というのも、そうしたことは（本人から報告されたスコアによって）測定可能であり、その要因も、実験を繰り返すか大量のサンプルデータを入手するかして、データを統計学的に分析すれば、いつかは判明するはずだからだ。

「よい人生」に対するこうした見方は、今日の学術論文やビジネス書などでも主流となっている。たとえば人間の精神状態に影響をおよぼす要素についての各種の理論では、幸福感を落ち込みや不安の対極にある感情とみなしている。

幸福について研究するダニエル・ヘイブロンによれば、ポジティブな心理状態には3つの側面がある。ひとつめは彼が「肯定的感情（endorsement）」と呼ぶ状態だ。具体的には、喜びや悲しみといった感情で、特定の人物が置かれた状況に同情したり、ともに喜んだりする。ふたつめは「没頭（engagement）」で、周囲の世界との関係において「フロー」と呼ばれる集中状態を経験する。そして最後は「同調／調和（attunement）」。心は落ち着いているが、開放的で自信に満ちた状態だ。ただし、科学的であるはずのこうしたアプローチでさえ、大きな課題に直面している。

その第一は、自分の感情を変えることはそう簡単ではないということだ。たとえば心理学の「セットポイント理論」によれば、人にはそれぞれ独自の「幸せのセットポイント」があるという。つまり、さまざまな環境要因によって幸福感が一時的に増減したとしても、いつかは基準値に戻るということだ。

各種の研究によって、病気やケガ、身内との死別、離婚、金銭的な損害、引っ越しなどが人々に与える影響が測定されている。こうした出来事は多大なストレスを生み出すが、1年もすれば、自身や周囲に対する感情はもとに戻るという。研究報告のなかには、人々が報告する幸福感の基準値は文化によって異なると考えて集合的セットポイントの存在を指摘するものや、別々に育てられた双子が似たような報告をする傾向があることに注目し、遺伝的セットポイントを発見しようとするものもある。

第二の問題は、報告という調査形式の限界に関連している。ニューヨーク州ロチェスター大学の元学長リチャード・フェルドマンは、認知によって引き起こされる情動（つまり感

情）に関する調査データは信頼性に欠けると指摘している。[※1]

彼はその原因として、①感情の起伏の問題（ものの感じ方は常に一定ではないかもしれない）、②影響をおよぼす諸要素の問題（ものの感じ方はちょっとした要素――たとえば質問者が魅力的かどうかなど――で変わりうる）、③タイミングの問題（どれだけ幸せな気分かをたずねる最適のタイミングなど存在しない。とくに死ぬ間際に人生を振り返った際の意見は当てにならない）を挙げている。

またシカゴ大学の法学・倫理学の教授、マーサ・ヌスバウムは、「いじめ状態」の問題を指摘している。これは、心理学者が無意識のうちに被験者を追い詰め、自分の感情をごく限られた範囲（回答はたった一種類、それも数値でという場合さえある）で報告させていることを指す。常識で考えても、「いい気分」になるのはさまざまな条件が組み合わさった結果であるはずなのに、だ。[※2]

第三の問題は、自分の感情を自覚する能力が時とともに変化しかねないこと。その能力が劣化していた場合、あなたが感じている「いい気分」とは、単にあなたが卑屈になり、ほんのささいなことで大喜びできるようになった結果生まれたものかもしれない。

問題はほかにもある。「よい人生」を送るためには「いい気分」になる必要があるという考え方じたい、根本的な欠陥がある。哲学者ロバート・ノージックは１９７４年に刊行した著書で、思考実験としての「快楽機械」（別名「経験機械」）を提案している。[※3] この「快楽機械」を使えば、どんな快楽でも好きなだけ味わえる。感覚や感情面の悦楽から人生全般に対する満足感まで、選び放題だ。だが、この機械を実際に使おうとする人間は多くはないだろう、とノージックは述べる。なぜか？　こうした喜びは実際の活動を通して得るべきものだと誰もが本能的に知っているからだ。

前出のマーサ・ヌスバウムは、ふたりの知人を比較しながら、この問題にもう一歩踏み込んだ。片方の知人は快適で内省的な暮らしを送り、もう片方は社会活動家として積極的に活動している。活動家の知人は偉業を成し遂げたものの、その代償としてストレスや孤独に悩まされ、健康も損ねている。それでも、どちらが恵まれているかと問われれば、大部分の人は後者と答えるはずだと彼女は主張する。

## あなたにとっての「善」とは？

心理学者は「よい人生を送ること」とは「いい気分になること」だと考えている。しかし、本当にそれはあなたにとっての「善」なのだろうか。

ただ自分のしたいことをして、欲しいものを手に入れ、手に入ったものに満足していればいい――そんな主観的な答えだけで十分なのだろうか。たとえば、木の葉を一日中数えるような人生に惹かれる人もいるかもしれないが、そうした人生は直感的には「よい人生」とは言えない気もする。「私にとっての善とは何か?」という問いに主観的に回答しようとすれば、こうした一風変わった野心にも惑わされかねない。また低俗な欲求に振り回される場合もある。

たとえば、何もせずにぶらぶら暮らすのが望みという人もいるかもしれないが、そうした人生も「よい人生」と呼ぶには何か足りない気がする。他人の迷惑になる恐れもある。悪名高いフン族の王アッティラの振る舞いも、たぶんすべて「欲しかった」からに違いない(とはいえ、自分の婚礼の晩に鼻血を出して窒息死するという最期は別だろうが)。こうした問題を考え合わせると、「自分にとっての善とは何か?」という問いにはもっと客観的な答えが必要なようだ。

ポジティブ心理学の創始者であるマーティン・セリグマンは、「よい人生」の概念を主観的な判断や個人の感情から引き離し、もっと価値ある探求——たとえば、キャリアの成功や友情、芸術的センスの向上、哲学の修士号の取得など——に目を向けさせている。[※4] ただし、こうしたことはいずれも価値があるかもしれないが、それをどのように優先順位づけすべきかは明らかでない。これは重要な問題だ。より充実した人生を送りたいのなら、なるべく価値ある探求に取り組むべきだからだ。そうなると順位づけをする客観的な基準、いわば「善の規準」が必要になる。でなければ、また主観的判断を用いるはめになる。

では、その「善の規準」はどうやって見つけるのだろうか。たとえば、ビジネススクールでＭＢＡを取得することは芸術系の習い事よりも重要なのか（ちなみに逆でもいい）を客観的に判断するには、どうすればいいだろう？

心理学とその調査手法は、人々のポジティブ（またはネガティブ）な感情を理解するのに役立つだろう。ただし同時に、別の情報源からの知恵にも耳を傾け、「自分にとっての善とは何か」「どうすれば職場をよりよいものにできるか」を理解するのに役立てるべきだ。

こうした問いに答えようとするとき、ヒントになるのが哲学だ。哲学者たちは千年以上ものあいだ、「よい人生」とはどんな人生なのか、そして「自分にとっての善」とは何かを問い続けてきた。なぜか？　誰もが自分の強みや可能性を最大限に発揮できるようにするためだ。

「善の規準」は、あるものと別のものを比較し、自分や他人にとってどちらが望ましいかを判断するときの基準になる。次章では、「善の規準」に一家言もつふたりの哲学者の意見を参考に、職場をどうすれば「よい人生」を実現できる場所にできるかという問題について考えてみたい。

登場してもらう賢人のひとりは、２５００年ほど前の世界を生きたアリストテレス。もうひとりは、ポストモダン時代の幕開けに居あわせたドイツの哲学者、フリードリヒ・ニーチェだ。このふたりはどちらも「人間の理想の生きかた」に大きな関心をもち、「動物」「（精神的な）奴隷」「群れ」の構成員としてではなく、ひとりの人間として「よく生きる」にはどうすればいいかを考え続けた。どちらの意見も、働き方についてはもちろん、人生のさまざまな局面において客観的な答えを発見する際の指針となる。

アリストテレスにとって「真に人間らしく生きる」とは、理性的に生きると同時に、他人もそうできるように手助けすることだった。つまり、理性こそが彼の「善の規準」だった。理性的であればあるほどいい。一方、ニーチェにとっての「善の規準」とは、なんらかの面で卓越し、その才能をみごとに開花させることだった。

## 第1章のまとめ

第2章でアリストテレスとニーチェの思想を本格的に紹介する前に、ざっと本章のおさらいをしておこう。本章では、職場における〈疎外〉とは対照的な意味での「よく生きる」という問題に心理学がどう回答するかを見てきた。心理学からの回答は、人々の報告にもとづいたデータに依存しているために限界がある。なぜなら、そのデータが示しているのは、実際に「よく生き」ているかどうかの状態そのものではなく、それに関して報告された当人の感情でしかないからだ。ただし、自分にとっての善を実践したとしても、必ずしも「いい気持ち」になるとは限らない。一方、哲学は次のようなことを教えてくれる。「よい人生について考える際には、感情だけにとらわれず、その先にあるものにも目を向けるべきだ」

## あなたへの質問

1. あなたは、自分の「夢の仕事」についてどう説明するだろうか？　あなたの葬儀では、親友はどんな弔辞を述べるだろう？　また、このふたつの質問に対するあなたの答えには、関連性はあるだろうか？　関連性がある場合、それはどういうことを示すだろう？　関連性がない場合、それが何か問題なのだろうか？

2. あなたやあなたの部下は職場でいきいきと輝いているだろうか？　それは、どうすればわかるのだろう？

3. あなたがとくに誇らしく思う成果のうち、自分の選択に何度も自信を失い、大きな犠牲を払いながらも達成したものはあるだろうか？

# 第2章 理性と情熱を兼ね備えた職場

## アリストテレスはどんな人物だったのか

過去の知恵に学び、現代社会を生きるヒントにしようとする本書の試みについて、同僚にこうからかわれたことがある。

哲学者なんてみんな白人男性で、かなり酔狂な人生を送った連中だよ。しかも、ほとんどが生涯独身だった。一般人の悩みなんてわかるわけないじゃないか。だいたい、とっくの昔に死んじまってる。そんな連中から何を学ぼうっていうんだ？　夜空の星を眺めるしかなかった昔と違って、現代にはちゃんとした経験科学があるのに。

たしかにアリストテレスは、はるか昔に生きた人物（紀元前384～322年）で、性別は男性だった。だがそれ以外の点については前出の表現には当てはまらない。彼は白人というより褐色人種に近かっただろうし、女性にも興味があった。「リュケイオン」という学園を自ら創設し、経営に携わったり、アレクサンドロス大王の家庭教師を務めたりもした。興味の範囲も、海洋生物学や気象学からリーダーシップの技術まで多岐にわたった。

この傑出した博学者は、17歳のときにアテナイにあったプラトンの学園「アカデメイア」に入学し、ソクラテスの哲学を継承する学派に学んだが、のちに師たちの主張とは大きく異なる独自の世界観を確立するようになっていく。最終的にはそれがあだになり、神を愚弄したという理由で死刑を言い渡され、アテナイを去ることを余儀なくされる。自分なりのものの見方を確立することは、彼の教養の根幹にあったからだ。

今日、アリストテレスの著作はそのごく一部しか伝わっていない（わずかでも残ったのは、イスラム文化のおかげだった）。そうした著作のほとんどは「真に人間らしい生きかた」について考察したものだ。本書の目的にかなうという意味で、もっとも参考になるのはおそらく『ニコマコス倫理学』だろう。同書においてアリストテレスは、（自由な）人間と動物や奴隷との違いは何かと問いかけている。彼が出した答えは、動物は本能的な衝動や欲望に突き動かされる、奴隷は他人の命令に従うのみで、自由になることは何ひとつない、ということだった。どちらの状況であれ、幸福や繁栄は望めない。

奴隷には選択の自由はない。また、動物はその牙やかぎ爪を血に染める運命にあり、その結果、自らにも大きな苦難が降りかかる。一方、「よく生き」ている人は「自分にとっての善」を見きわめようとすると同時に、その学びにもとづいて選択する自由も備えている。

動物でも奴隷でもない、自由な人間ならではの特徴とは何か。それは理性の存在だ。動物に理性はないし、奴隷はあっても自由に行使できない状況にある。理性こそが「善の規準」であり、人生における困難や機会に対処する際の指針になりうるのだ。

## アリストテレスの「中庸」

アリストテレスにとって、「よい人生」を生み出す美徳が何かは明らかだった。それはたとえば、友情や寛大さ、勇気、粘り強さといったものだ。彼がおよそ2500年前に作成したリストは、いま見ても素直にうなずける内容である。ただし、そうした「徳」は、それが発揮されるコンテキストと関連づけて考えなければ意味がない。勇気という徳についても、特定の状況で具体的にどういうことを示すのかがわからないかぎり、ただの耳触りのいいお題目でしかない。

アリストテレスによれば、そうした場合には「やりすぎ（過剰）」でも「やらなさすぎ（不足）」でもない、ちょうどいいアプローチ（「中庸」）を見つけるべきだという。たとえば勇気という徳は、無謀（過剰）と臆病（不足）の中間にある。友情についても同じで、あなたを常にほめそやし、いい気分にさせてくれる人物は「いい友人」ではない。

逆に、あらゆることに厳格で批判的な人物もそうではない。素晴らしい友情は、これらふたつの態度の中間に見つかるはずだ。「寛大さ」も、浪費ぐせとケチの中間にある。この考え方を仕事の世界に当てはめると、アリストテレスがいう「中庸」な生きかたとは、他者をいじめるわけではなく、卑屈にへりくだるわけでもない、その中間のタフで粘り強い人間として生きることかもしれない。

とはいえ、その「ちょうどいい中間」はどうすれば発見できるのだろう？　アリストテレスによれば、その秘訣は、学ぶことで自らの理性を研鑽し、その理性を用いることだという。個々の状況に応じて自分や他人の行動を予想し、必要な実験を行い、結果を分析し、ふたたびテストする。また理性を用いることを習得した人には、周囲の人々を導く義務もある。自分と同じように、誰もが「中庸」を見つけられるようにするのである。

アリストテレスの時代の世界も現代と同じように、きわめて不安定で先が見えず、複雑であいまいだった。やみくもにルールに従ったり、従来の手法を機械的に繰り返したり、気の向くままに行動したりするだけでは、好ましい結果は望めない。一人前の人間と認められるためには、自分のものの見方を確立する必要があったのだ。

そんなアリストテレスにとっての理想の職場とは、おそらく理性を養い発揮する機会が豊富にあり、そうした機会を通して、自らの人間性を高められる環境だったに違いない。

## 奴隷のための職場？

ところでアリストテレスは「エンパワーメント」という現代用語にどんな印象を抱くだろうか。たぶん最初は好印象をもつだろう。しかし、現代の職場での一般的な使われ方を知れば考え直すはずだ。かつて、私たちのひとりが一緒に仕事をした、あるＣＥＯ（最高経営責任者）はこんなことを言っていた。「（自分にとっての）理想のマネジャーとは、30代後半で多額の住宅ローンを抱える、子だくさんの人物だ」つまり、自分の思い通りになる人間ということである。

ＩＴ関連のある大企業と仕事をしたときには、そこの営業社員たちは「今四半期の数字を上げろ。何がなんでもだ」と、ことあるごとに言われていた。そんなことをすれば顧客との関係を台無しにしかねないと営業社員はみな心得ていたが、「言われた通りやるだけです」と肩をすくめていた。

ちなみに私たちが勤務する大学の同僚――このアカデミックな世界での奇妙なヒエラルキーでは「職員」と呼ばれ、「教員」と区別される職種の人物――も、似たような経験をしたらしい。学生の成績評価方法が一般的な慣行とは異なるのでは、と教授に指摘したところ、きみに質問する権利はないと言われたという。

アリストテレスは、こうした状況を「現代の奴隷制度」とみなすだろう。理性にもとづいて判断することを許されない状況。たちの悪いことに、こうした状態は伝染しかねない。イエール大学の著名な研究者アーヴィング・ジャニスは「集団思考(グループシンク)」という言葉を生み出した。特定の意思決定の内容にメンバー全員が内心反対しながらも、表には出さずに賛成してしまう状況のことだ。※1

1990年代半ばに経営破綻して大きな波紋を呼んだ、イギリスの名門投資銀行ベアリングズの取締役だった友人によれば、ベアリングズの取締役会議では重大な局面においてさえグループシンクが横行していたという。シンガポール支店のあの異常な投資結果(同行破綻の直接的な原因となった、多額の不正取引を指す)についても例外ではなく、誰もが同じ質問をしたかったのに、専制君主のような議長に愚かに思われたくなくて言い出せなかったそうだ。

同銀行が経営破綻にいたるまでを描いた映画『マネートレーダー/銀行崩壊』は、『レミングに支配されて』というタイトルでもよかったかもしれない。レミング(タビネズミ)は「集団で海に飛び込んで自殺する」という伝説がある。それが会社の方針と言われれば、奴隷たちは海にも飛び込むだろうから。
ちなみにアリストテレスは、むやみにトラブルを起こしたり、規則を破ったりすることを奨励しているわけではない。まったく逆だ。彼は個人を「コミュニティというコンテキストのなかで行動する存在」とみなしていた。彼の学園「リュケイオン」に通い、その教えに耳を傾けた聴衆は、アテナイを守る義務を担う自由民たちだった。

要するに、まずは自分の頭で考えて自分なりの見方を確立し、そのうえで他人の見解も尊重して、そこから学ぶべきなのだ。

私たちが協力している専門事務所のひとつでは、入社したての新人スタッフであっても「異を唱える義務」はあるとしている。もちろん異論の内容によっては、いったん主張したあとはひとまず脇に置き、みなと歩調を合わせるべき場合もあるだろう。それでも意思決定の質は格段に向上する。
また、自分の頭でものを考える人は、トラブルに直面したときにも頼りになる人物である可能性が高い。奴隷のように判断をすべて人任せにしている人は、トラブルがあればパニックを起こし、一目散に逃げ出すかもしれない。逃げ出さなかったとしても、指揮系統が崩壊して命令されなくなったとたん、まったくの役立たずの存在になってしまう。

## 動物のための職場？

奴隷は自らの理性を使うことも養うことも許されない。動物にはそもそも理性などなく、本能や欲望のおもむくままに行動する。

金融取引の世界をのぞいてみればいい。今日の実業界でもとくに評判がかんばしくない人物がごろごろしているはずだ。公平を期すために言っておくと、私たちが個人的によく知るトレーダーたちは、その専門が証券であれ、債券であれ、通貨であれ、商品先物であれ、みな道理をわきまえた人々だ。彼らは、正しいこととそうでないことをきちんと区別し、自分自身と自分の組織、クライアントのために正しいことをしようと心がけている。

それでも「けだものの心」に乗っ取られる危険がないわけではない。たとえば、エンロン社のトレーダーがカリフォルニア州内の電力供給事業をおもちゃにした話は有名だ。彼らはわざと電力不足を引き起こし、電力価格を高騰させてぼろ儲けしようとたくらんだ。彼らはのちに、自分はそういう悪事を嬉々として行っていたと告白している。結果的に、２００１年には死者も出た。カリフォルニア州の電力ネットワークが機能停止に陥ったとき、手術を受けていた人が亡くなったのだ。

とはいえ倫理的な指針をもたない「けだものの心」は、トレーダーの専売特許ではない。別の大学に勤める同僚にもらったビデオテープには、当時エンロンのＣＥＯだったジェフ・

スキリングの講演の映像が収められている。電力危機のピーク時に、MBAの学生に向けて行われた講演だ。その冒頭で、スキリングは満面の笑みを浮かべながらこんなジョークを言う。「カリフォルニア州とタイタニック号の違いを知ってるかい?」彼の答えは「タイタニック号が沈んだときは、少なくとも電気は点いていた」だった。自社のトレーダーが人々にかけた迷惑に関するジョークとして、これほど悪趣味なものはちょっと思いつかない。

その後まもなくしてエンロン帝国は崩壊し、スキリングは詐欺罪で重い実刑判決を言い渡された。ただし、このビデオを観たときに私たちがもっともショックを受けたのは、そうした背景情報でもなければ悪趣味なジョークでもなかった。将来リーダーとなるはずのMBAの学生数百人が、それを聞いて爆笑し、大喝采したことだった(念のために言っておくが、彼らは私たちの学生ではない)。「けだものの心」は伝染しやすく、取り返しのつかない事態を引き起こしかねない。

「けだものの心」が人々の判断力を奪う瞬間に遭遇したことがあるだろうか? あるいは、あなた自身が一時の快楽に判断をゆだねてしまった経験はないだろうか?

もしアリストテレスに意見を聞けば、ここでの最大の問題は「倫理規範に違反したこと」ではないと言うだろう。彼ならきっと、倫理規範に違反せざるをえない状況をいくつも想像できたに違いない。たとえば銀行なら、財政面の健全さを最優先すべきときもある。「けだものの心」に乗っ取られてしまうことの大きな問題は、倫理的な指針までを見失ってしまい、何が正しいか判断できなくなることだ。

私たちのクライアントのひとりで、大手専門事務所のトップに最近就任した人物は、その任期を開始するにあたり、これからは「正しいことをする」必要があるとスタッフ全員に伝えたという。私たちは彼に「こんなことも考えてもらってください」とアドバイスした。たとえば、どういうことが「正しくないこと」なのか。そういう「正しくないこと」が魅力的な選択肢に思えるのはどんなときか。「正しいこと」と「正しくないこと」のあいだのグレーゾーンはどこからどこまでなのか。一例を挙げれば、非常識なほど高額の接待費についてはどう考えるべきだろう？

ここでの課題は倫理規範を定めることではない。一人ひとりが自分なりの倫理基準を、理性にもとづいて確立できるように支援することだ。アリストテレスにとって、職場に人間らしさを取り戻すこととは、できるかぎり理性的な環境をつくり出すことだったに違いない。

## ニーチェとともに「その先」をめざす

ニーチェは、アリストテレスの時代から２５００年ほど経った19世紀後半に活動した。彼は、あらゆる人の意見に反対した。ニーチェから見れば、アリストテレスの「理性的な職場」は、退屈きわまりない場所だったに違いない。誰も彼もが「何が正しいか」を思索するばかりで、すぐれた仕事をし、自らの才能をさらに磨こうとはしないからだ。

しかし、そんな彼もアリストテレスと同じように「よい人生とは？」という問いを中心テーマに据え、客観的な答えを見出そうとした。つまり「いい気分になる」だけでは十分ではないと悟っていた。また倫理規範や（永遠にやって来ない）神の啓示などにやみくもに頼らず、最善のものを見きわめるための基準（善の規準）を発見しようとした点も共通している。

本書では読者に、さまざまな「もし～なら？」式の思考実験に取り組んでいただきたいと思っている。もし職場のしくみをあなたの好きなように決められたら？　その際に「真に人間らしく、よく生きる」ことについて思索した哲学者たちの知見を参考にできたら？　ここではまずアリストテレスに登場してもらい、その次の案内役としてニーチェを選んだ。ニーチェの世界観は詩的だが過激で、その評価は大きく分かれる。つまり、冷静沈着で論理的なアリストテレスの世界観とは正反対といえるからだ。

「よい人生」に対する、ふたつの対照的な考え方を冒頭で紹介することで、「もし～なら？」というあなたの好奇心を少しでもかきたてられたなら幸いだ。できれば以降の章も、そうした好奇心旺盛な目を保ちながら読んでもらえるとありがたい。

私たちが推奨していることは、自分の職場をアリストテレスあるいはニーチェの思想（その他の思想でも別にかまわない）にもとづいて改革することではない。肝心なのは、あなたなりの考え方を確立することだ。その際、ニーチェとアリストテレスの両方に賛成してもらえるかと自問自答してほしい。

1844年、ニーチェはドイツで生まれた。彼の短くも傑出したキャリアは、45歳のときに神経衰弱を患ったことで事実上、幕を閉じる。病状はその後も快復することなく、彼は1900年に世を去った。ニーチェが影響を与えたのは、ハイデガー、デリダ、フーコーといった哲学者だけでない。ジークムント・フロイトやカール・ユングといった心理学者や、サルトルやカミュ、トーマス・マン、ヘルマン・ヘッセをはじめとする文学者もニーチェの思想に触発されたと語っている。

やや暗い面にも目を向けると、彼の著作の一部の要素は1920年代から30年代にかけてナチスに利用され、彼の妹はアドルフ・ヒトラーの熱心な支持者となった。こうしためぐり合わせが、広く定着している彼のイメージに大きく影響していることは、まったく不公平というしかない。なぜならニーチェにしてみれば、汗くさい制服姿の男どもが旗をもって行進し、周囲に同調しようと必死になってユダヤ人排斥等のスローガンを叫ぶ光景ほどおぞましいものもなかったに違いないからだ。

ナチスであれ、その他のどんなグループであれ、大人数での集団行動は、まさしく彼が憎悪したもの、すなわち人間らしさを封印された家畜の「群れ」を体現している。彼が提唱した哲学の中心テーマは、いかにして「群れ」から脱け出して高みに達し、人として繁栄するかだった。

ニーチェによれば、ひとりの人間として繁栄するためには――つまりニーチェが「高次の人間（超人）」と呼ぶ存在になるには――「よい人生とは何か」を自分の経験にもとづいて判断しなければならない。一方、「群れ」る者たちは、自分に関する判断を他人にゆだねようとする。その他人とは聖職者かもしれないし、上司かもしれない。哲学者という場合もあるかもしれない。さらに悪いことに、（少なくとも）西洋文明では、自称「真実を知る者」は「群れ」に奴隷根性をもつことを勧め、自分に従わせようとするとニーチェは語った。彼がキリスト教を批判したことは有名だが、それはひとえにこうした「奴隷根性の奨励」を問題視したからだ。

彼いわく、キリスト教はローマ帝国の奴隷の心をとらえて基盤を確立した宗教だった。奴隷たちは心の底では富や権力、美や健康や喜びといった「善なるもの」を求めていたが、それらが自分たちには、手の届かないものであることも知っていた。そのため彼らの司祭は「善」についての基準を逆転させ、温順や利他主義、謙虚さ、同情、忍耐などを尊ぶことで、弱者が強者を見返せるようにした。また個人の成功など無意味だと説き、素晴らしい可能性を秘めた人がそれを発揮しないように仕向けた。おそらく「群れ」の構成員も、自分が拒否しているものの価値にある程度は気づいていたに違いない。その結果、曖昧模糊とした憤りがつのり、そのうっぷん晴らしの矛先は、一見成功している人物にとくに向けられるようになった。

職場でこんな場面に遭遇したことはないだろうか。権力をもった人物が価値観について語る。場合によっては、外部のコンサルタントまで登場してワークショップを開催し、守るべき価値観を全員が共有できるようにする。こうした場では通常、個人の幸福や繁栄などは話題にのぼらず、チームワークや利他の精神、規則の遵守や自主的な取り組みなどがやたら強調される。ただし、会社の上層部連中にチームワークや利他の精神が見受けられることはない。誰もがそう知ってはいるものの、ワークショップが開催されれば出席する。それが仕事だと思うからだ。多くの場合、こうした鬱屈が公式に表明されることはない。あったとしても、せいぜい人事部に提出する講座アンケートに悪い評価をつける程度だろう。

私たちのかつての同僚であるヒューによると、ある企業の倫理プログラムでは「汚職をしません」という旨の宣誓書に署名して提出するように管理職全員が求められたという。それも、CEOに対する個人的な誓約として、である。「つまり、彼の自己防衛策ってことだ」とヒューは言う。「もちろん、ぼくもみんなと同じようにサインした。でも彼はぼくたちに、予算を達成することも同時に期待していたんだ。どんなことをしてでもね」

興味深いことに、同社のCEOであるピーターは私たちにこう語っていた。「自分はあらゆる汚職を憎んでいる。だからわが社の管理職には、あの宣誓書にもとづいて行動してほしいと思っている。たとえ予算を達成することを犠牲にしても、だ」残念ながら、こうした彼自身の価値観は、もし相手に無理強いするだけなら、あまり意味がない。

## 道徳的権威の終焉

ニーチェの時代には、従来の道徳的権威が失墜し、人々は自分なりの価値観を発見せざるをえなくなった。教会や国家、その他の道徳的権威からのアドバイスは急速に信用を失い、人生には意味などないとするニヒリズム（虚無主義）がぽっかりと口を開けるようになった。ニーチェはこれを当時の西洋文明が崩壊した理由のひとつとみなし、個人レベルでは冷笑主義や快楽主義、絶望感をもたらし、全体レベルでは社会の断絶や確執を引き起こすと考えた。彼の予測はあながち的外れではなかった。げんに彼の死からそれほど経たないうちに、かつてないほど悲惨な戦争が世界規模で繰り広げられ、その戦争の記憶はいまなお現代人の生活に色濃く影を落としている。

今日の組織の多くでは、信頼関係が崩壊して権威のみが強要され、冷笑主義や無気力につながっている。誰もが気軽に情報発信でき、リーダーたちに悪行の疑いがあれば瞬時に暴露されるようになったいま、組織の道徳的権威が回復される日はすぐには訪れないだろう。

もしあなたがＣＥＯの地位にあるなら、会社クチコミサイトの「グラスドア（Ｇｌａｓｓｄｏｏｒ）」にアクセスし、自社の社員にどう思われているかを確認してみるべきだ。人事部の「従業員エンゲージメント調査」の結果などに頼っていてはいけない。もし他人の価値観を社員たちがもはや受け入れないようなら、自分なりの価値観を発見してもらわなければならない。また、もしそれを自社の目的の基本要素とみなし、人々が自分の夢を発見し実現するのを手助けしようとするなら、それ自体がれっきとした集合的価値観になる。そうした価値観は、無気力な「群れ」の構成員ではない、個人の連合軍を固く結びつけ、その並外れたエネルギーを発散するに違いない。

## 「群れ」から脱出する

戦う準備をせよ、自分の価値観を立て直すのだ――ニーチェはそう呼びかける。どうすればそんなことができるのか。ニーチェによれば、そのカギは自己認識にある。自分の行動に影響をおよぼしているのはどんな衝動で、自分はその衝動をどのようにして価値観に仕立てあげているのかを発見するのだ。

たとえば、他人を助けたいと感じる自分にあなたが誇りを感じていたとする。だがじつは、その気持ちは母親を失望させたくないという思いから生じているのかもしれない。そのことが本質的に悪いわけではないが、自分らしさを他人の価値観で覆い隠してしまうのはやはり考えものだ。

こんなときニーチェなら、試行錯誤するように勧めるに違いない。発散する衝動をひとつ選び、発散したらどうなるかを確認してみよう。いっそう元気はつらつとなり、いらだちも減り、自信がわいてくるようなら――つまり、ニーチェが「権力への意志」と呼ぶ力を行使できるなら――その衝動に「価値観」という称号を進呈してもいい。そうすれば、その衝動はあなたの価値観として、自分の行動を検討したり、よりよい行動を模索したりする際の助けとなってくれるだろう。

こうした衝動には心の闇から生じたものが混じる場合もあるが、その性質は意識的に変えることもできる。たとえば残酷な傾向があったとしても、卓越性を競い合う心に昇華させることも可能だ。逆に、「人には親切に」といった価値観にこだわって自分をごまかし続ければ、残酷さが隠れた衝動として残り、さまざまな弊害をもたらす。そうなれば偉業を成し遂げる機会があっても、逃してしまいかねない。

## 人生を芸術作品とみなす

ニーチェは、誰もが自らの人格と行動に責任を負うべきだと主張した。そうすれば芸術家が傑作を生み出すように、自らの人生と価値観を創造していける。

よく知られた話だが、ニーチェはこんな思考実験を提案している。ある晩、悪魔が現れて、あなたに告げる。お前さんの人生は永遠に繰り返されることになる。あらゆる痛みや快感、喜びや悲しみ、成功や失敗もそっくりそのままでだ。そう聞いたあなたは悪魔を呪うだろうか？　それとも（よくも悪くも）自分の「作品」を際限なく体験できることに感謝するだろうか？　ニーチェによれば、この思考実験こそが、自分の人生を肯定し責任を負う度合いを知るリトマス試験紙になるという。

ニーチェはこうした「超常レベル」の個人的責任論を展開すると同時に、後年の著作では「ささいなこと」に注目することも奨励している。たとえば食事や運動、日光、休養などだ。自分の人生に責任をもつためには、それを可能にする体力もつける必要がある。彼は、そうした基礎体力を養い、維持することは人としての義務だと考えていた。

ニーチェにとって「責任をもって生きる」とは、けっして楽ではない人生を生きることだった。彼が用いた比喩には山登りに関するものが多い。頂上をめざして登るときには、快楽に背を向けて、一歩ずつ地道に登らなければならないからだろう。事実、彼はその著作の多くをスイス・アルプスのエンガディン地方を展望する山荘で執筆した。彼の「高次の人間」は自らを厳しく律し、人生の山登りで叱咤激励してくれる友人とだけつきあった。

とはいえ、それはつらい道のりではなかった。なぜなら彼の「高次の人間」は山頂に達したときに大喜びするだろうからだ。ただし、それはご褒美ではない。創造性を追求した結果、それもその一部にすぎない。「群れ」から脱出し、奴隷根性も捨てた「高次の人間」は、自らのエネルギーと技術を融合させた人生という傑作を創造しようと一心不乱に努力するはずだ。そうした営みの一つひとつを通して、彼の人生の目的がかたちづくられていく。

## ニーチェ的な職場

ところで、ニーチェのいうような「高次の人間」をあなたは採用したいだろうか？　こうした人物は気難しくてわがままな場合も多く、お役所的なプロセスには向かないかもしれない。一方、たぐいまれなエネルギーを組織にもたらしてくれる可能性もある。おそらく、そうした人物はすでに御社の社内に何人かいるのではないだろうか。価値観研修をさぼったりしたときに人事部が大目に見てやれるなら、彼らは生き残れるだろう。そして、あなたの頼れる仲間になるかもしれない。その場合は、たぶんマネジャーや部下としてではなく、個人として貢献してくれるだろう。ただし、彼らが今後もあなたと働くことを望んでくれれば、である。

360度調査を採用して、その人の同僚や上司、部下からフィードバックを得ている企業は多い。また、そうした評価がボーナスや昇給に連動しているケースも少なくない。しかし、多少なりとも自尊心のあるニーチェアン（ニーチェの信奉者）なら、そうしたプロセスに抵抗を覚えるに違いない。いい仕事の定義やいい仕事ができたかどうかの評価はそうした判断能力のある人――たとえば、そのニーチェアンが尊敬する真の友人――だけが行える。「群れ」の判断に従っても、淘汰される道にまっしぐらに向かうだけだ。

山登りのイメージが多用されることからもわかるように、ニーチェアンは単に仕事をするだけでは満足できず、自らを高めようとする。リーダーは、そうした「高次の人間」予備軍を上手に導いて、彼らが自分なりの成長プランを立てられるよう手助けする必要がある。また、その際には職場以外の世界にも目を向け、現在の雇用主――つまりあなたの会社だ――を卒業したあとのキャリアも検討しておくべきだと自覚させてあげよう。


こうしたニーチェアンが周りにいる場合、彼らが仲間を発見し、同じように高みをめざす人々とネットワークを築けるように計らってやりたい。そうすれば、さまざまな創造活動に取り組む仲間たちと悩みを分かち合い、互いに触発できるようになる。

ニーチェ自身もそうだったが、「高次の人間」候補の人物は多大なストレスにさらされつつ日常生活を送っている可能性が高い。そのため、ニーチェが「ささいなこと」の重要性を指摘したように、適切な環境——たとえば、仕事場の環境や景観、栄養たっぷりの食事（インスタントラーメンなどは避けたい）、適度な気晴らしなど——はニーチェアンとしてのあなたの才能を維持するカギとなるだろう。

ニーチェは健康な心と体づくりも重視した。彼からのアドバイスはふたつある。ひとつは、なるべく物事に反応しないようにすることだ。その悪い例として彼は、他人の意見にいちいち反応して時間と精力を使い果たし、せっかくの才能を台無しにした作家を挙げて、こう言った。「他人がすでに思いついたことを批評するようになると、自分の頭で考えなくなる」[※2]。

もうひとつのアドバイスは自己中心的になることだ（ただし、何をしてもいいわけではない）。「自己中心的でない人ならイエスと言うだろうと思ったら、ノーと言おう。ただし、そのノーもなるべく言わずに済ませられれば、それに越したことはない」と彼は述べている。

要するに、自分の精神的リソースを枯渇させかねない状況は避けるべきだということだ。そうした「ささいなこと」に注意することで安心して必要なことに集中でき、より重要な仕事のためにエネルギーを温存できる。これは職場環境にも当てはまる。誰でも覚えがあるはずだ。

別のグループに「レビュー」され、プロジェクトがみるみる精彩を失っていく。無意味な

「コラボレーション」をしきりに強要され、仕事がまわらなくなる。見る必要のないメールのCCに加えられ、絶え間ないやりとりにつきあうはめになる。ニーチェ的な職場は、そこで働く人々をさまざまな雑音や障害——本書の冒頭で説明した「忙しい病」もそのひとつだ——から守るように設計されるだろう。

先日、マーティン・ソレル卿が私たちの大学を訪れ、彼が２０１８年にＷＰＰを去ったあとに立ち上げた新事業について講演してくれた。ソレル卿は35年ほどのあいだにＷＰＰを広告・マーケティング業界で世界トップ３に入る持株会社に育てあげた。カンター、オグルヴィ、ジェイ・ウォルター・トンプソン（ＪＷＴ）といったＷＰＰ傘下の広告代理店には、超一流のクリエイターがおおぜいいる。だがソレル卿いわく、こうしたクリエイターたちがアイデアをひらめいた瞬間とそのアイデアが実施されるまでのあいだには、いつの間にかうんざりするほど多くのプロセスや手続きが介在するようになってしまった。

たとえば、営業担当のマネジャーが顧客と話し合い、クリエイティブ・ブリーフを確認する。プランナーが広告のコンセプトを立案し、台本や絵コンテが関係部署間を何度も往復する。制作チームに実現不可能だと言われることもある。ようやく完成にこぎつけたと思っても、顧客にダメ出しをくらえばやり直しだ。ＷＰＰ傘下の各企業間でのすり合わせを抜きにしても、そうしたプロセスには何カ月もかかる。

だがその際、完成したＴＶコマーシャルが放映されたときにどれだけインパクトがあるかはあまり注目されない。だからこそ広告会社のクリエイターたちは、世界最大の広告祭と呼ばれる「カンヌライオンズ」で賞を獲得しようと努力する。そこでは社内の「泥沼」から離れ、自分の成果を仲間に認めてもらえるからだ。

ソレル卿の新事業「S4キャピタル」は、そうしたクリエイターと広い世界とのあいだに立ちふさがっていたお役所的なプロセスを取り除き、クリエイターたちを自由にする。自分のアイデアがおよぼす影響をじかに確認できれば、クリエイターはずっとやる気になる。そうしたかたちでクリエイターたちの情熱にふたたび火をつけたい、とソレル卿は語った。

彼はもう70代だが、50代と言われてもうなずけるほど若々しかった。S4キャピタルは、緊密にかかわりあった各領域をまとめる中枢部となり、エンドツーエンドのソリューションをデジタルメディア分野で提供していく。同社の製品サイクルは「何カ月」単位ではなく、「何日」単位で測られる。その創造的なアウトプットと、つくり手であるクリエイターたちは、大胆な試みが奨励される環境におかれ、その質や能力を常にテストされる（この点に関しては、ソレル卿であっても例外ではない）。

ただし、これはくだらないことに振り回される「忙しい病」ではない。むしろ本来の仕事に専念できる自由といっていい。多くの職場にはびこる、エネルギーを消耗させるだけの無意味な活動から解放され、ひとりのアーティストとして働けるのだ。ソレル卿にインタビューしたとき、彼にはニーチェアン的な部分があるように感じた。「私がやっていることは、単なる仕事ではありません」と語る彼は、引退するつもりはまったくないという。S4キャピタルはすでに、ひと握りの巨大持株会社の独壇場だった広告・マーケティング業界に創造的破壊を起こしつつある。

もっと小規模な事例も紹介しよう。1970年代、ランス・リーは「ザ・アプレンティスショップ」をメイン州の海沿いの小さな町であるロックポートで立ち上げた。彼は、体験学習を通した人格形成をいち早く提唱したクルト・ハーンに影響され、ハーンが立ち上げた冒険教育推進運動「アウトワード・バウンド」にも密接にかかわっていた。現在、ランスはすでにアプレンティスショップの運営を後進の手にゆだねているが、ロックポート界隈ではいまも大きな存在感を放っている。

アプレンティスショップは、さまざまな経歴や出身地の人に木造船のつくり方を指導すると同時に、その技術の質を維持するためのコミュニティとしても機能している。同ショップが教えるのはクリンカービルト（鎧張り）と呼ばれる工法を用いた造船法だ。「木材こそ最高のものづくり体験を提供できる素材だ。また、すぐれた匠の技は船のつくり手に相応の報酬をもたらし、完成した作品は高い評価を受けるだろう」というランスの先見の明がなければ、いまごろ木材は近代的な材質に取って代わられていてもおかしくなかった。

ランスはアプレンティスショップを経営し、技術を伝授しただけでなかった。この辺鄙な土地で自分が行っていることに目を輝かせ続け、そうした情熱と自尊心を弟子たちにも伝染させた。そして弟子たちに「自分もいつか技術をマスターし、木材を使いこなせるはずだ」と信じさせた。このコミュニティでは、やる気のない態度や怠け心は許されない。彼の弟子たちは、十分な報酬を得られる機会にも恵まれている。なぜなら同ショップの卒業生が制作した船は、ニューイングランド地方沿岸を航海する裕福な船乗りたちに引っ張りだこだからだ。

INSEAD（欧州経営大学院）やロンドン・ビジネススクールで教え、私たちの友人兼メンターでもあった故スマントラ・ゴシャールは「場所のにおい」について語っていた。たとえば、INSEADの周囲に広がるフォンテーヌブローの森の春。その空気を吸えば嫌でも元気になり、森の小道を駆けださずにはいられない。気がつけば歌を口ずさみ、頭上の小枝に触れようとジャンプしている。

彼によれば、それと対照的なのが8月のコルカタ（カルカッタ）中心部だ。彼は毎年そこに里帰りしていたが、そのたびに湿度や温度、混雑、カオスのせいですっかり消耗させられるとのことだった。彼は、経営幹部たちを対象にした講義でこう問いかけていた。

「私たちがいま行っているのは、自分の組織にフォンテーヌブローの森をつくり出すことでしょうか？　それとも8月のコルカタ中心部をつくり出すことでしょうか？」

ニーチェアンには「春」が必要だ。スマントラはニーチェアンだった。自身が所属する学科に新しいメンバーが加わることを認めるかどうかを判断する際には、その人の学歴や功績にはこだわらず、卓越した能力の持ち主かどうかを常に基準にした。

## 第2章のまとめ

第2章では、「よく生きる」ことについて考察した、ふたりの哲学者について簡単に紹介した。ふたりは興味の対象という点では似ていたが、アプローチは大きく異なっている。「職場に人間らしさを取り戻す」という点で学べることも、ほぼ正反対といってもいい。アリストテレスの冷徹な理性と、卓越性を追い求めるニーチェの情熱。あなたにはどちらが魅力的だろうか？　また、どちらの意見を参考にするにせよ、あなたの職場ではその試みがどれくらい許容されるだろう？

こうしたことを自分に問いかけると、次のような基本的な問いも生じるかもしれない。あなたの組織は、アリストテレスの「中庸」に賛同する人々とニーチェアン予備軍の両方に対応できるだろうか？　対応するしかない、と私たちは考えている。どんな組織であれ、その気になって探せば、ニーチェアン的精神が求められる機会、つまり「情熱や大胆な試みが大きな意味をもつ機会」が見つかるはずだ。

また逆に、大胆な改革を行うよりもみなで協力し合って徐々に改善するほうがいい場合もある。そういうときにはアリストテレス派が活躍するだろう。どちらにしても重要なのは、メンバーの選択や業績の評価、報酬の提供、プロセスの形成をする際に汎用的で紋切り型のアプローチは使わず、人間中心に組織をデザインすることだ。その逆（組織中心）ではない。

## あなたへの質問

**1.** あなたは、職場でどれくらいの自由を与えられているだろうか。自分が携わる活動をどれくらい自由に選べるだろう？　自分のタスクをもう少し自由に選択できれば、さまざまな制限に対してもっと心穏やかに反応できるだろうか。そう思う場合、その度合いはどれくらいだろう？

**2.** あなたにとっての「よい人生」のイメージはどこから来ているのだろうか。そうしたイメージは、どの程度あなた自身の判断から生じているのだろう？

**3.** あなたの組織に目的を与えている「中心的な概念」とは何だろうか。また、あなた自身やあなたが大切に思っている人たちの人生に目的を与えている「中心的な概念」とは何だろうか。

# 第3章 戦略も人間らしく

## 戦略家の台頭

第2章では、組織において「よく生きる」ためにどうすればいいかを考えた。たとえば、アリストテレスにとっての成功とは、動物や（精神的な）奴隷ではない一人前の人間になることで、そのカギは理性にあった。

一方、ニーチェにとっての成功とは、「群れ」の愚かな一員ではなく「高次の人間〈超人〉」として立ち上がることで、そのカギは自らの強みと情熱だった。こうした意見はどちらも、本書の冒頭で紹介した、カール・マルクスが〈疎外〉と呼ぶ状態から遠ざかり、人間らしい職場を取り戻すための足がかりとなるはずだ。

このふたりの哲学者の主張が対照的なことからもわかるだろうが、「よく生きる」ための道はひとつではない。あなたが組織のリーダーであれスタッフであれ、そのことをしっかりと理解しておこう。スタッフならば、自分らしく輝くために最適な選択肢を見きわめ、その選択肢が本当に最適かをテストすべきだし、リーダーならば新たな選択肢を開拓し、選択肢を増やす必要がある。人間らしさを取り戻した職場におけるリーダーとは、究極的には、人々が「よく生きる」ための環境づくりの責任者であるはずだ。

ただし、組織のトップにはもっと差し迫った関心事がある。そうした人々は、組織の短期的なパフォーマンスと長期的な戦略の両方に責任を負わされているからだ。本章では、後者の「戦略」に注目する。職場に人間らしさを取り戻そうとする際、戦略は「味方」と「敵」のどちらになるだろうか。私たちが「よく生きる」ために、組織の「戦略」を哲学の力でさらによいものにできるだろうか?

現代の組織においては、戦略家は宗教指導者のような存在になっている。世界の名だたるビジネススクールでも、戦略分野の教授は一目置かれ、そのステータスと講演料の高さの両方で同僚たちに嫌な思いをさせている。たとえば、豪華な場所で開催される経営幹部向けのカンファレンスでちょっと基調講演をするだけで、べらぼうな額の講演料をせしめてくる。

企業でも政府機関でも、戦略や経営企画を担当する部署は大きな影響力をもち、次世代をになう幹部候補を育てる場所とみなされている。

経営コンサルティングの世界においても状況は同じで、もっとも高額の日当たり単価を請求するのは「戦略コンサルタント」たちだ。そうした戦略家は神秘的なベールに身を包み、顧客企業の経営陣の「信頼できるアドバイザー」を自認する。

聞いた話だが、ある主要監査法人では数年前、戦略コンサルティング会社を買収し、自組織に統合しようとしたらしい。「信頼できるアドバイザー」の顧客関係を活用し、プロセス向上のための比較的地味なサービスを抱き合わせ販売しようというねらいだった。だが残念ながら、統合計画は成功しなかった。

もともとの合意では、監査人たちと戦略コンサルタントたちが同じビル内で仕事をし、協力体制が自然に築かれるはずだった。そのためのおぜん立ても進められていた――ただし、職務の性格上、両者のあいだには仕切り壁を設けざるをえなかった。その結果、設計仕様は早い段階で変更され、双方の仕事場を自由に行き来できるドアが代わりに設けられた。そしてそのドアはほどなく施錠されるようになり、カギもどこかに行ってしまった。

ちなみに、一方の仕事場にはコーヒーマシンが置いてあり、専用のコインを入れると泥水のようなコーヒーが出てくる。もう一方では、専任バリスタが完ぺきなカプチーノを淹れてくれるうえに、脳を活性化させる高級エナジードリンクも自由に飲めた。さて、戦略コンサルタントの仕事場はどちらだろう？　答えはすぐにわかるはずだ。

私たちにも苦い思い出がある。かつて、こんな話をほかのメンバーに打ち明けたことがある。はるか昔、彼が一流ビジネススクールのMBAプログラムを卒業して、ある主要戦略コンサルティング会社に勤めて2年ほど経ったころだったという。与えられたタスクは、世界的なアルミニウム会社が新しく建設する圧延工場に関してアドバイスすることだった。チームは1カ月間、昼夜の別なく働いて、独創的な経済分析を完成させ、パワーポイントに要旨をまとめあげた。そしてクライアントの経営陣にプレゼンする日がやってきた。

平均年齢が彼らの倍近いお偉方は、そのプレゼンにおおいに感嘆していた（丸印や矢印を効果的に使った縦横二列のマトリクスをスクリーンに映し出したときなどは、立ち上がって拍手喝采されるかと思ったそうだ）。その部屋の後方に控える中間管理職たちは浮かない顔をしているようでもあった。休憩時間になったとき、そのひとりがやってきて、低い声でこうささやいた。「おたくら、アルミニウムの圧延工程のこと、何も知らないだろ？」

若かった彼は、足元の床が一瞬にして消滅したような気がしたという。しかし、その中間管理職――経験豊富な冶金学者でエンジニアでもあった――は彼の肩に静かに手を置き、ほかの誰にも聞こえないような声で言ったそうだ。

「気にするな、教えてやるから。うちのボスたちは、おたくらのアイデアを明らかに気に入ってる。耳を傾けてもらえるのは、そちらの意見だ。俺のじゃない。だがそんな俺でも、先ほどの提案が少しは現実味を帯びるように手伝ってやることはできる――その代わり、俺のプロジェクトが迷子にならないように協力してくれ」

## 戦略と非人間性

戦略や戦略家に対しては賛否両論あるが、その理由は高額の報酬や教祖的なステータス、ある種のうさんくささだけではない。組織には、上層部が定めた戦略を実行に移す立場の人もいる。そうした人々は、新しい戦略が発表されるたびに苦悶の声を上げている（だいたい、その発表自体が永遠に続くかのように退屈なパワーポイント地獄なのだ）。

私たちが出会ったある中間管理職は、社内の年次戦略会議での退屈きわまりない時間を「バズワードビンゴ」を開催することでやり過ごしていた。「コアコンピテンス」や「シナジー」といった戦略家御用達のご大層なキーワード（いわゆるバズワード）をマス目にひとつずつ書いたビンゴシートをあらかじめ作成し、同僚たちにこっそり配っておく。

すると発表が佳境に入るころ、「ビンゴ！」と言う声が聴衆から時折あがるようになる。それを聞いて発表者はいい気分になる。よしよし、大好評じゃないか。だがそのかけ声は、じつはビンゴの縦横斜めの一列を誰かがそろえられたという意味でしかない。「子どもじみてるとは思ったんだけど」彼女は語っていた。「おとなしく聞いてたら、空想の世界に連れていかれそうだったから」

とはいえ、誰もが「戦略的」でありたいと思っているのはたしかだ。戦略的な調達、戦略的な販売、戦略的な施設管理に取り組む人もいれば、戦略的な人材育成や戦略的な情報システムの開発に携わる人もいる。戦略的なイニシアティブもいたるところで実施されている。

ここで気になるのが、「戦略的」とははたしてどういう意味なのか、ということだ。おそらく大部分の人にとっては、非常に重要なものだろう。同僚や上司にもその大切さを理解してほしいと思っているはずだ。ところが、先ほどのアルミニウム会社の新工場の例が物語るように、「戦略的」なアイデアを「非現実的」だと感じてしまう人は少なくない。

戦略は単純明快であるべきだ。いい戦略は「自分たちはどこに行きたいか」「どうすればそこに行けるか」を説明する。そうした戦略は、大企業の経営戦略から個人の成長計画にまで人生のあらゆる局面に役立つ。ただし目的とその手段——「何を」「どのように」すべきか——を掘り下げはじめると、とたんに物事はややこしくなる。

ある目的が達成されることがどれほど望ましいのか、その手段として何がどれだけ有効か——人は往々にして、そうしたことを無意識に決めつけてしまう。だがそこに、戦略にまつわる基本的な問題がある。戦略の中心をなす概念や前提に説得力はあるかもしれない。しかし、それらが現実からかけ離れたものであれば、私たちの人間らしさを容赦なく奪い去ってしまうだろう。

なぜそんなことが起きるのかについては、本章のもう少し先で取り上げる。その際には、アリストテレスよりもさらに前の時代を生きた、ある哲学者の意見を紹介し、どうすればその憂鬱な状況を改善できるかを考えてみたい。

あなた自身の組織について考えてみてほしい。あなたたちの戦略は何をめざしているのだろう？　もちろん成功することだろう。では成功するためには何が必要だろう？　私たちが見るところ、ある思い込みがビジネス界ではすでに共通認識になっており、いまや公共セクターはおろか、慈善団体や社会活動組織にさえ広がりつつある。その思い込みとは何か？

それは、①成功するかどうかのカギは持続可能な競争優位性にあり、②この世には勝者と敗者がいて、すぐれた戦略は勝利をもたらす（それも、やり方しだいではその勝利は永遠に続く）ということだ。こうした考え方はその語源からも読み取れる。古代ギリシア語の「ストラテゴス（strategos）」には「軍隊の司令官」という意味がある。言うまでもないが、軍隊の司令官の任務は敵を倒すことだ。

成功するためには持続可能な競争優位性が必須という概念はすでに定着し、組織のマントラのようになっている。ちなみに「マントラ」とはもともとはサンスクリット語で、「呪文」の意味がある。いってみれば、誰もが「呪文」でがんじがらめにされ、人間らしさを奪い取られているのだ。要するに、問題は競争そのものではなく、私たちの競争に対する姿勢にある。

## 価値を他者から奪う戦略 vs. 価値を創造する戦略

競争自体は単に競い合うことであって、なんであれ競い合うことで私たちはさらに強く賢くなれる。すぐれた人々から学ぶと同時に、そうした人々を追い越そうと努力するからだ。問題は「持続可能な競争優位性」の概念に影響され、「世界は自分たちの敵だ。勝つためには『難攻不落のポジション』が必要だ」と思い込んでいる点にある。過去数十年間、数えきれないほどおおぜいの管理職がマクロ経済学にもとづくこうした概念の洗礼を受けてきた。

「競争優位性」の概念は、ハーバード大学の著名教授マイケル・ポーターが広めたもので、「難攻不落のポジション」を獲得できれば圧倒的な交渉力をもてると説く。[※1] たとえば取引業者からの仕入れ価格を引き下げたり、顧客に提示する価格を引き上げたりしやすくなる。なぜなら、ほかの選択肢が相手にないからだ。

圧倒的な交渉力があれば、競合他社の動きを抑制したり、対象市場への新規参入や代替製品の登場をはばむこともできる。また交渉力が強いほど大成功できる。価値あるもの（金銭やその他のリソース、機会など）を他者から手に入れやすくなるからだ。ただし皮肉なことに「持続可能な競争優位性」は、純粋な競争とはまったく逆に機能し、最終的には独占市場をつくり出す。

競争優位性を成功の原動力とみなす概念の底には、特定の人間観がひそんでいる。２００

9年にノーベル経済学賞を受賞した経済学者オリバー・ウィリアムソンは、「戦略的行動」を説明する際に、その人間観を次のように喝破している。

「実際には存在しない脅威をあるように見せかけたり、偽りの約束をしたりすること。その前提には、人間は隙あらば自己利益を追求しようと立ち回る『機会主義的』な存在だという考えがある」※2

もしそれが人間本来の姿なら、相手は交渉の場でこちらを圧倒しようとするに違いない。だからこちらもすぐれた戦略を用いて、相手を上回る力を手に入れ、独占市場になるべく近い状況をつくり出さなければならない。それも、向こうに先を越される前に。

もしこの世が弱肉強食の世界なら、強力な武器を手に入れて、天敵を追い払わなければならない。その強力な武器とは競争優位性——つまり交渉力だ。こうした説得力ある概念にもとづいて、戦略は形成されていく。だが、この道はどこに続いているのだろう?

今日のテクノロジー業界では、競争が減少するケースも見受けられる。これは主要プレイヤーが各自の競争優位性を統合し、寡占市場を形成するようになっているからだ。そうした少数の「勝ち組」は人々の生活と懐具合をほしいままに支配できるため、こうした傾向に危機感をもつ人々が増えつつある。

「戦略的行動」や「競争優位性」のかなり極端で物騒な例は、メキシコの麻薬組織やソ連崩壊後の「泥棒国家」体制（クレプトクラシー）にも見受けられる。それでも競争優位性を獲得したこうした組織は、その力によって雇用の安定や働きやすい環境を従業員に提供し、高い給料を払うと考える人もいるかもしれない。たしかに安定した環境ならその通りかもしれない。過去には、ユニリーバとP&G、あるいはSAPとオラクルといった主要事業者が市場シェアを分けあい、それほど急激な変化は起きず、従業員の報酬も悪くなかった時代もあった（ただし、その取引業者も同じだったかどうかは不明である）。

だが、こうした状況ではイノベーションは頭打ちになる。そして多くの場合、より強大な交渉力を手に入れようとした結果、トランプゲームの「ベガー・マイ・ネイバー（隣人を乞食にしろ）」さながらの近隣窮乏化戦術が展開され、最終的には誰もが「負け」になる。ちなみに私たちのひとりも、似たような状況を目の当たりにしたことがある。

自分の一族がアルゼンチンで経営する事業を監督する彼は、あるときアルゼンチン国内の主要な生産者協会に協力を要請されて、地主や小作農家、請負業者、運送業者、飼料会社、養鶏業者、流通業者といった業界関係者たちがどうすれば効果的に連携・協力できるかという問題に取り組むことになった——それも、いわゆる「バリューチェーン」の最初から最後まで、つまり原材料がさまざまな段階を経て最終的に消費者の手に届くまでの全過程を通してである。当時その業界には連携・協力などまるでなく、無駄と遅延で機能不全に陥っていた。本来なら、世界有数の生産性を誇っていいはずなのに、だ。

なぜこんなことになったのかと関係者たちにたずねたところ、全員がほぼ同じような本音をもらした。「私たちはお互いを信用していないのです」つまり、相手に隙を見せれば、有利な立場を奪われ、もっと過酷な要求を突きつけられる。誰もがそう恐れていたのだ。

こうした近代戦略の基本概念はあまりにも深く浸透しているため、その結末を承知していても脱却することはほぼ不可能だ。私たちの学生も身をもって学んでいる。私たちが教えるクラスのひとつでは、気候変動と持続可能な環境づくりをテーマに戦略を学んでいる。こうしたクラスに魅力を感じる学生は、たいてい思いやりのある性格の持ち主で、MBAプログラムに参加する学生の大部分よりも「肉食度」が低い傾向にあり、いま人類が直面している主要な危機に対処するためには連携と協力が欠かせないと信じている。

しかし、そうした学生たちでさえ、意外な行動をとる。このクラスでは「フィッシュバンクス」という定番ビジネス・シミュレーションゲームを通して、そのことを実際に体験してもらっている。参加する学生たちは小グループに分かれ、グループごとに架空の漁業会社の経営を任される。そして船を何隻購入・建造するか、海に送り出すかを意思決定していく。すぐに明らかになるのは、最大規模の漁業会社数社がますます多くの利益を上げ、今後も市場を支配しようと手を尽くしはじめるということだ。

ゲームが進むにつれ、教室は熱気を帯びていく。私たち教師も追加の船をオークションで売り出して、その熱気に油を注ぐ。ただし、その船がなぜオークションに出されたかもきちんと説明する。別の地域で漁場が崩壊したからだ、と。つまり、この先待ち受ける悲劇をかなり露骨に警告する。それでも入札が始まれば、教室はたちまち狂乱の渦となる。

その結果？　ご想像の通り、漁場は乱獲によって破壊されてしまう。このゲームをはじめると、たいていは早い段階で学生のひとりが立ち上がり、このまま行けばどうなるかを指摘する。そして、おのおのが好き勝手に利を追うのではなく、共通の解決策が必要だと訴える。そうすると通常は少なくとも一部のグループは、情報を共有して協力し合おうと努めだす。だがそうした状況ですぐさま得をするのは、協力体制に背を向けた面々である。しだいに離脱者が出て、その数は増えていき――やがて漁場は完全に崩壊する。いわゆる「共有地の悲劇」の典型的な例だ。誰もが共有のリソースに依存しているのに、そのリソースを守り育むことには誰も個人的な関心を払わない。

この例の皮肉な点は、もし効果的に連携・協力できていたならば、もっとも成功していたグループ（この場合の「成功」は、蓄積した富を基準にしている）であっても、さらに成功できただろうということだ。なぜこうなったのかと振り返った学生たちは、成功に対する根深い思い込みが自分にあったことを悟る。だから、あんなふうに振る舞ってしまったのだ。

経営学者のピーター・センゲは、思い込みと振る舞いの関連を指摘し、学生たちと同様の状況で人々が抱く思い込みをユーモアたっぷりに紹介している。

「自分たちが何をどうしようが未来は変わらない。魚はこれからもいるはずだ」「とにかく勝つ。それだけだ」「万事そんなものだ。私たちには何もできない」「他人がやるなら、やらなきゃ損だ」「私の務めは、まず家族を養うことにある」「誰かがなんとかしてくれる」私たちのお気に入りは「ただのゲームじゃないか」だ。センゲが「タイタニック症候群」と説明する、こんな考え方もある。「どうせ沈没するなら、せめて一等船室にいたい[※3]」

## ブッダの戦略アドバイス

ここで、哲学者のひとりであるゴータマ・ブッダ（仏陀）に登場してもらおう。ブッダが教えを説いた時代は、カール・ヤスパースが「枢軸時代」と呼んだ、紀元前8世紀から紀元前3世紀までの期間にあたる。

この時代には文化・思想が一斉に開花し、その影響はいまなお続いている。プラトンやソクラテス、アリストテレスの時代であり、そのはるか東方ではブッダや孔子の時代であった。この枢軸時代、思想は行商人や戦士たちによって各地に伝播した。アレクサンドロス大王が現在のアフガニスタンに侵攻したあとに同地で彫られたブッダの頭像は、アポロンを題材としたギリシア彫刻と不思議なほど共通点がある。

現在、仏教は西洋でますます注目され、その本家ともいえるインドや中国でもふたたび脚光を浴びている。しかし組織の戦略に関してブッダから学べることなどあるのか？　そう首をかしげる人もいるかもしれない。何だかんだいってもブッダは、当時のインドの主要勢力のひとつ、釈迦王国の後継者のポジションを投げ出し、木の下で瞑想した人物なのだから。

ブッダの教えは、日常の喧騒から離れてひとり瞑想する僧侶だけに役立つものでは決してない。ブッダはきわめて活動的な人生を送った人物で、徒歩で旅する時代にインド北部の各地を巡り、さまざまな階層の人々に「どう生きるべきか」をアドバイスした。当時（現在も同じだが）、彼の信奉者には、ごく普通の人々もいれば、王様や商人、盗賊もいた。彼がそうした聴衆に教えたことは、一種の戦略と呼べるものだった。

いい戦略は「自分たちはどこに行きたいか」と「どうすればそこに行けるか」を説明する。ブッダの戦略はきわめてシンプルだ。彼は、人生を苦しみの連続と理解した。その苦しみから逃れようとするのは人間本来の性質である。そこでブッダは苦しみがどこから来るかを分析し、自由になる道を提案した。なお、このときの「苦しみ」は物理的な苦痛とは限らない。自分にとって大切な人やものを失うつらさ、欲しいものが手に入らない不満、また自らの能力を十分に発揮できないジレンマさえもブッダは「苦しみ」と考えた。

もしカール・マルクスが書いた〈疎外〉や〈人間らしさを失った職場〉の記述を見せたなら、そこにある苦しみもブッダはおそらく理解しただろう。ブッダはこう説いた。苦しみをなくすには、その根源を突きとめて断ち切らなければならない。苦しみは、恐れや欲深さ、自らに対する妄想から生まれる。ブッダはこの「妄想」の意味について、人間は、自分以外のすべての人や物事から独立して生きているかのように思いがちであり、自らの人となりも不変の存在のように考えてしまうと説明している。

ここに、ブッダの時代から2500年ほど経った現代の組織戦略にひそむ思い込みを知るヒントがある。自分たちがほかから切り離された存在であり、アイデンティティも固定されていると考えるようになると、たちまち「自分対世界」の構図にもとづく強迫観念が生じる。そして他人の行動を見て、先ほどのオリバー・ウィリアムソンが説明したように「自己利益を追求しようと立ち回る」機会主義者と解釈するようになる。

だが個人と集団のいずれのレベルであれ、そうした強迫観念の内側では、苦しみを経験することで強迫観念がさらに強まるという負の連鎖が起きている。周囲の「機会主義者」やさらに手強い競争要因から攻撃されれば、誰でも自分を守りたいと思う。そのための武器が競争優位性というわけだ。

ブッダが提唱した生きかたと訓練法には瞑想も含まれている。瞑想することで、苦しみをもたらす強迫観念を緩和できると説いた。自らの人生はほかと依存し合う関係にあるととらえれば、「自分対世界」の構図は崩れる。自分のアイデンティティが変化することを受け入れられれば、周囲の状況が変わってもそれほど腹は立たないはずだ。いびつで偏狭な自己イメージを捨て、もっと広がりのある相互共生的な世界に生きよう。ブッダのこうした世界観

は、仏教に帰依した別の書き手によって後年、「因陀羅網《いんだらもう》」という比喩で表現された。[※4]

インドラ（因陀羅）は、伝統的なヒンドゥー教の神である（ブッダは無神論者だったが、一般大衆が抱く世界観には多くの神々が存在するかもしれないと認めていた。ただし、そうした神々も人間と同じく不死身ではないとも主張していた）。インドラ神の宮殿にかかる網には結び目ごとに宝玉がつけられ、互いを無限に映し合っている。ここでの重要な点は、一つひとつの宝玉にほかの存在のすべてが反映されているということだ。

## 「つながり」の哲学を実践する

こうした洞察をビジネスや組織向けの戦略に採り入れようとする場合、市場の独占による価値の獲得ではなく、協力を通した価値の創造に焦点を置いたアプローチになるだろう。どんな組織でも独力では立ち向かえない課題――「ベガー・マイ・ネイバー（隣人を乞食にしろ）」戦略が優勢であるかぎり誰も対処しない課題――を解決するために。そこでここ15年間ですっかりおなじみになったアルゼンチン産の赤ワインについて考えてみよう。

アルゼンチンの主要ワイン生産地メンドーサを訪れると、アンデス山脈の麓にブドウ畑が見渡すかぎり広がっている。ほんの20年ほど前まで、そのワインの質は悲惨としか言いようがなかった。ワイン製造業者はブドウ農家に一方的な要求を押しつけ、流通業者はワイン製造業者から利益を絞り取っていた。支払条件や契約はあっても無意味。ワインの質を向上するために投資するメリットもなかった。運送業者組合は料金を少しでも多くふんだくろうと、一回の輸送で引き受けられるのは同じ方向の積み荷だけだと言い張った。役人も汚職まみれで、輸出用コンテナに商品を積載するたびに賄賂を要求し、輸出の頻度や量を減少させた。

そのような状況のなか、ワイン製造業者は、生き残るために必死だった。だがその後、アルゼンチン人が「マルベックの奇跡」と呼ぶ事件が起こる。アルゼンチンを代表するブドウ品種「マルベック」を全世界に通用するブランドに育てあげることだ。そうすれば業界関係者全員の利益にもなる。その大志を実現させるためには、みなが協力し合う必要があった。

たとえば流通業者たちは、一定の行動規範を遵守することに業界全体で合意し、弱い者いじめや汚職をなくそうとした（それも非常に厳格に）。地方政府も、生産者が成功すれば税基盤もうるおうと考えた。国内外の大学機関からも、研究成果やアドバイスが提供された。さらに業界全体で、全世界に向けた知名度向上キャンペーンを立ち上げた。結果として多くの消費者は、「アルゼンチンの赤ワイン」と聞けば、個別のワインメーカーの名称ではなく、「マルベック」という品種名をまず思い浮かべるようになった。

みなさんの多くも、似たような事例を身近で見聞きしているのではないだろうか。たとえばイギリスが誇るハイテク企業のＡＲＭは、半導体会社だがマイクロチップの製造はしていない。その代わり、ソフトウェア開発者やマイクロチップ製造業者、ＯＥＭ委託者（アップル社など）を含めた広大なエコシステムに技術やツールを提供している。このような場合、アップルのような大企業はその交渉力を用いて購買価格を引き下げ、一時的に利益を得ようと考えそうなものだが、実際にはそうならない。なぜならエコシステムにひびが入り、アップル自身が依存する価値が破壊されてしまうからだ。

逆にＡＲＭの技術者たちは、新しいチップを次々と開発できるように、アップルの企業秘密に特別にアクセスすることを許されている。ＡＲＭのエコシステムにも、「マルベック」の生産地であるメンドーサ地域と同じ考え方が根づいている。協力し合うことは競争の排除にはつながらず、むしろ有意義に競争するためのおぜん立てとなる。すべてのプレイヤーは、自らのパフォーマンスを向上させるために競争に参加している。つまり競争は成長するための手段にすぎない。対照的に「競争優位性」とは、むりやり有利なスタートを切ろうとするようなもので、そもそもなぜ競い合っているのかをわからなくしてしまう。

「マルベックの奇跡」やＡＲＭの成功を可能にしたものは何だったのだろう？　別の例でもいい。偉大な共同プロジェクト（たとえば、ＨＩＶワクチンの開発やグローバルな金融システムの構築）を進める際、その基盤となるものとは何だろう？　そのヒントは、私たち全員がどれだけ「自分対世界」の思考から脱却し、自らの知識を共有しようとするかにある。ここでの知識とは、単なる技術的なノウハウにとどまらない。他人の見方や感じ方、生き方についての知識や理解も含まれる。そのためには深い共感が欠かせない。そしてそれこそが、ブッダの教えがもたらす境地であり、原動力でもあるはずだ。

先が見えない時代において、共感はあいまいな状況を理解するうえで能力の要となる。つまり、きわめて重要な戦略スキルとなると考えていい。

たとえば、1962年10月に勃発したキューバ・ミサイル危機——人類が存亡の危機に直面した歴史的瞬間のひとつ——について考えてみよう。当時アメリカの若き大統領だったジョン・F・ケネディに空爆という選択肢が提案され、その用意が着々と進められるなか、安全保障問題担当のアドバイザーたちの意見はもっぱら、ソ連には武力や行動によるメッセージしか通用しないというものだった。

だがじつは、大統領に直接助言していたこうした安全保障問題担当アドバイザーのなかに、ロシア人の知り合いがいなかった。「ソ連」という抽象的な存在を相手にしていただけで、そこでも血の通った人間が意思決定しているとは思われていなかったのだ。

全世界にとって幸いだったことに（空爆とその後のキューバ侵攻が実行されていれば、核戦争につながっただろう）、ロシア人を知る人物がこのドラマに加わることになった。彼の名はリュウェリン・〝トミー〟・トンプソン。彼は当時ソ連の最高指導者だったニキータ・フルシチョフを個人的に知っており、フルシチョフにとって戦争はもっとも避けたい事態だと理解していた。というのも、大祖国戦争（ソ連では、第二次世界大戦をこう呼ぶ）の終結から15年ほどしか経っておらず、その戦争ではフルシチョフ自身がスターリングラードで直接前線を指揮する立場にあったからだ。戦争による死者は3000万人にもなっていた。

またトンプソンは、フルシチョフが独裁者ではないことも心得ていた。フルシチョフはスターリンとは違って、同僚とのコンセンサスを重視する姿勢を取っている。体面上、その姿勢は曲げられないだろう。共感から生まれたこうした洞察のおかげで、人類は「自分対世界」の思考から一時的に脱し、滅亡をまぬがれた。

もうひとつ、私たち著者のうちふたりが、2008年の世界金融危機の直後、グローバルに事業を展開する大手銀行の経営会議で講演したとき、銀行業界における職業的価値観の見直しについて話してほしいと依頼されていた。だが残念ながら、結果は大好評とはいえなかった。その直前にリテール（個人客向け業務）部門のトップ――それも私たちよりもずっとカリスマ性のある人物――が登壇するというタイミングの悪さも関係したかもしれない。「諸君！」彼は叫んだ。「これから1年間、君たちの仕事は、顧客に深く浸透し、顧客を活用することだ。相手の財布から1ペニー残らず金を引き出して、うちの銀行の収益にするんだ！」その後に私たちが訴えた高邁な理想は、聴衆の心にまったく届かなかった。

いま思えば、ただの理想ではなく、具体的な問題を取り上げるべきだったのかもしれない。くだんのリテール部門のトップの講演は、抽象的な内容ばかりだった。まるで彼本人は顧客に一度も会ったことがないかのように。しかし先行きがきわめて不透明な時代には（当時もそうだったし、今後もそうなるはずだ）、顧客に対する共感能力を目覚めさせ、相手の不安や願望、失望を思いやることこそが、価値の創造につながる。「顧客」という抽象的な存在について語るより、こうしたアプローチのほうが人間中心主義といえるだろう。そして、そのためには偏狭な自己イメージを、もっと広く発展性のあるもの（ブッダが推奨した世界観にもとづく自己イメージ）に移行させることが必要になる。

ここまで、ブッダとその教えについてごく簡単に説明し、「朝から晩まで木陰で瞑想していた人物」から戦略についてどんなことが学べるかを考えた。ただし私たちは瞑想の話題にはそれほどこだわらず、日々の生活の苦しみから逃れるためのブッダの倫理思想をかいま見ることに重点を置いた。そして周囲とのつながりのなかで生きる、より発展的で創造的な自己イメージを養うことの大切さを学んだ。

なお、奇妙に思えるかもしれないが、瞑想についてのブッダの教えは、あらゆるレベルの戦略家に多くのことを教えてくれる。たとえば、ある伝統的な瞑想訓練は思いやりを養うことを教えてくれる。思いやりは、恐れや欲深さへの強力な対抗手段になる。その訓練は、思いやりをもつことを無理強いするわけではない。むしろ、どんなときであれ、自分のなかにさまざまな感情が共存することを認めるように推奨される。

親しい友人や美しい夕焼けを心に浮かべながら、自分のなかに存在しそうなポジティブな感情に意識を向けることで、自分の感情を様変わりさせるきっかけをつかめる可能性がある。やがて、その変化は瞑想訓練のときだけでなく、世界とのかかわり方にも反映されていく。これは、どんな人にも勧められる訓練だ。自社の戦略的な展望や課題を話し合うために同僚と集まる機会があれば、その前にごく短時間でいいから試してみよう。

また、自分たちの戦略を振り返り、共通の恐怖によって増幅されている要素がないかを考えてみるのもいい。現在の市場でのポジションは、本当にこれほど必死に競争相手から守る必要があるのか？　仕入業者や流通業者からは実際どれくらいマージンをもらうべきなのか？　いっそ「自分対世界」の世界観から生じる切迫感に自社の戦略をゆだねてしまったら、どうなるのだろうか？　他社と協力して創造的な仕事をする機会を逃してはいないか？　そのために交渉力を多少失ったとしても、そうした機会を得ることのほうが最終的には重要なのではないか？

これは「甘ちゃんのお人よし」を推奨するお題目ではない。じっさい、世界は危険な場所だ。強力な武器をもち歩かざるをえない場合もある。だが戦略の要にある人間の本質にネガティブな先入観を抱けば、その危険を必要以上に増やしかねない。

## 目的から手段へ

この章を始めるにあたり、戦略や戦略家、戦略関連のリーダーたちがいかに現代の組織で重視されているかを私たちは指摘した。戦略についてはさまざまな伝説が飛び交っている。個人的な偏見を生むような経験をしている人もいるかもしれない。

しかし組織の営みにおいて戦略が非常に重要なことは、動かしがたい事実だろう。ごく簡単に言えば、戦略とは「目的」と「手段」だ。めざすゴールと、そこにたどり着くためのプロセスといってもいい。私たちもゴールをめざして急降下し、成功に対する思い込みが人々を競争優位性の獲得に駆り立てていることと、そうした行動は結局「自分対世界」の世界観に裏打ちされた、足の引っ張り合いにつながることを学んだ。

2500年前、ブッダはそうした世界観が苦しみの根源になっていると考えた。しかし、この世界観をくつがえし、相互協力と共感にもとづいて価値を創造していく余地を自分たちの戦略にもたらすこともできる。ものの見方は重要だ。それがノーベル賞を受賞した経済学者の見方であっても、ブッダの見方であっても同じである。その根底には自分たちにとってそれがどういう意味をもつかという点について思い込みがあり、その思い込みがその人の行動をかたちづくる。現代の職場から人間らしさが奪われた一因は、戦略的思考にあるかもしれない。しかし、その職場に人間らしさを取り戻すことも戦略的思考によってできる。

ここまでは、目的、つまり戦略の側面のうち「自分たちがどこに行きたいか」という問いの答えに関連する部分だけに注目してきた。しかし、どんな組織においても、大部分の人々は、戦略を策定する側というより、策定された内容を実行する側になる。そうした人々がもっとも気になるのは「どうすればそこに行けるか」だろう。

ひと昔前なら、組織の上層部は、その答えは着実な計画にあると言ったものだった。明確に定められた目標から現在へと逆向きに考えていくことで、中間管理職は必要なステップを構築していく。まず予算の確保やＫＰＩ（重要業績評価指標）の設定が行われるだろうし、もう少し長い時間をかけるステップではミッションステートメント（行動指針）が重視されるに違いない。

この根底には、自分たちは未来を知ることができ、思いのままに操ることも可能だという思い上がりがある。もちろん、こうした思い上がりは、これまでもうさんくさいとみなされてきた。だが今日のような先の見えない環境においては、まったくのお笑い種でしかない。四角四面の計画を立てたところで、増える一方のコミットメントの交通整理に役立つだけだ。下手をすれば、周囲の変化に対応できないまま、大惨事に突き進みかねない。

ブッダは言うだろう。人は未来を予測することも、操ることもできない。宇宙をつかさどる存在になろうとしても無理な話で、余計に不安がつのるだけだ。しかし、起きた出来事にどう反応するかは自分で選択できる。

仕事以外の私生活においても同じだ。なんらかの不運（たとえば天災、友人や家族の死、隣人とのいざこざ、投資の失敗など）に見舞われたとき、「これからどうしよう」と不安にかられ、憤慨しながらその状況に対処したりする。だが、自分はどう対処していくかを自覚し、起きてしまった事実は事実として認め、創造的に生きる能力を高めるために学べることがないか考えることもできる。

同じことは、幸運についてもいえる。あなたはその幸運に反射的に反応し、「感情のシャンパン」のコルクをすぐさま抜いてしまうだろうか。それとも衝動をひとまず脇に置き、その幸運から何を学べるか考えてみるだろうか。

仏教の伝統的な訓練法であるマインドフルネスでは、自分の精神状態、つまり思考や感情の振り幅を感じとる能力を開発することをめざす。反芻思考の泥沼にはまるのではなく、自分の思考や感情を空に浮かぶ雲のようなものとみなすのだ。そうすれば瞑想を重ねるにつれ、流れる雲のどれを大きくするかを自分で選べるようになり、やがて自らの心を変化させる能力が身についてくる。

伝統的な仏教におけるこうしたマインドフルネス観は、ストレス対策や〈疎外〉感覚への対抗手段として近年ますます多くの組織で提供されている「人事部主催のマインドフルネス講習」の内容をはるかに超えたものだ。

とはいえ、それが戦略の実施に何かしら役立つのだろうか。戦略目標の設定について述べた際、戦略には「価値の獲得」と「価値の創造」をめざすものの2種類があると説明した。同様に戦略の実施にも、「意図的戦略」と「創発的戦略」という対照的なふたつのアプローチが存在する。「意図的戦略」では、当初に設定したマスタープランの範囲内で行動する。

一方、「創発的戦略」(この表現を最初に用いたのは、経営学者のヘンリー・ミンツバーグである)では、計画が予定通りに進まない場合もあるとわきまえている。世界は変化しているため、不測の出来事が起きるときもある。戦略の適切な実施とは、そうした不測の出来事が起きたときにも着実に対処していくことだ。「創発的戦略」では、直線的なプロセスではなくループ型の学習を重視する。仏教の瞑想訓練にたとえるなら、何かしら想定外の出来事が起きたときは、すぐさま本能的な反応をせず、まずは面倒でも状況を正しく把握し、そのうえで必要な行動や選択を行う、ということになる。そして最後はそのループを閉じるため、うまくいかなかったこと——そしてうまくいったこと——に意味を見出す。

組織も個人と同じで、先行きの見えない世界で繁栄しようとするなら、戦略的な学びのための独自のループを備えるべきだろう。この前提には、ブッダが重視した価値観のひとつである「謙虚さ」が求められる。

## 第3章のまとめ

第3章では、私たちが働く組織の方向性を考える指針として「戦略」に注目し、従来型の戦略アプローチが人間のありように対する思い込みにいかに深く影響されているかを哲学というレンズを通して学んだ。

また、そうした思い込みは必然的に職場から人間らしさを奪い、人間関係に「自分対世界」の偏見をもたらすことも知った。この負の連鎖に対抗するためには、価値を獲得しさえすればいいという考え方を捨て、協力し合って新たな価値を創造していく必要がある。ひるがえって、こうした考え方は、ブッダが提唱した相互依存という考えにもつながる。

ブッダは哲学的な概念を説くだけでなく、振り返りを通した瞑想といった実践的なテクニックも伝授し、人々が物事に受動的に反応するのではなく、創造的な姿勢を維持できるように促している。こうしたブッダのアプローチは、戦略を実践しながら振り返りと学びを適宜行い、偏見にもとづいた衝動にあらがうという、すぐれた戦略プロセスのお手本にもなるだろう。

## あなたへの質問

**1.** あなたの組織では、次のどちらをめざす戦略を採用しているだろうか。価値の獲得？それとも利害関係者全員のための価値の創造？

2. あなたの戦略は、どのようなかたちでなら他者と協力し合えるだろうか？　また、どうすれば協力の妨げになりそうな物事に対処できるだろうか？

3. 戦略を実施するためのあなたのアプローチには、「ループ型の学習」が含まれているだろうか？

# 第4章 創造性とクリティカルシンキング

サペーレ・アウデ（自らの知性をあえて使え）！……………………カント

第3章では、戦略とは「どこへ行きたいか」と「そのために何をするのか」の二段構えの選択だと定義した。また戦略を二種類に分け、価値を創造する戦略（世界全体の富や幸福を増加させるもの）と、価値を獲得するにすぎない戦略（富は一定であると考え、その富を市場の競争者間で再分配するだけのもの）を区別した。

「価値の創造」は、多くの競争市場でみられる、勝つか負けるかのゼロサムゲームから抜け出した一歩先のアプローチである。そうしたアプローチの一例として紹介したのが、世界的な成功を収めたマルベック種のアルゼンチンワインだった。同業界の関係者たちは、報復合戦を卒業して、偉大な価値を創造するために協力し合うことを選んだ。

この章では、よりよい価値を創造できる戦略の特徴について考えてみたい。その際、さまざまな競争者の考え方の違いにも注目する。企業の業績は、努力や協力、意図の結果というよりも、むしろ市場という現実の反映の結果であり、経済的価値を創造するときには「競争相手が知らないこと」を知ることが出発点になる。なかでも重要なのが、顧客や従業員、株主が選択した行動に市場がどう反応するかだ。

とはいえ、もし私たちが経営陣の立場なら、こう反論するかもしれない。戦略計画とは、プロジェクトの進行を途中で振り返り、道を間違えたかと後悔するためにあるのではない。あらかじめ問題点をあぶりだし、「成功」と「失敗」を定義しておくためなのだと。

しかし、業績は計画や希望通りには向上しないのが常だ。むしろ、業績を向上させられるかどうかは、自分たちの考えや前提が事実として正確かどうかにかかっている。つまり、戦略について議論するのなら、どれだけ目標を達成できそうかにこだわるより、その戦略の土台となっている「信念」の信ぴょう性に重きを置くほうが賢明だ。いってみれば、競争相手について学ぶペースこそが真の「ボトムライン」であり、ＫＰＩ（重要業績評価指標）なのである。

こうした観点に立てば、組織のコアコンピテンス（中核となる強み）は、その組織が新たな知識を得るスピードにある、と表現するのがもっとも妥当だろう。そのスピードを支えるのは、賢い質問をする能力や相手の答えを予想する能力、決め手となる実験を考案・実施する能力、現在採用している理論を改良する能力などだ。合理性を、創造的な思考とクリティカルシンキングの一種の組み合わせとみなす風潮は、カール・ポパーの哲学に負うところが大きい。

そこで本章では、科学的発見に関するポパーの思想を企業戦略に応用してみたい。じつは、ビジネスの世界で定評のある概念や慣習のなかには、戦略的な考え方を妨げるものもある。たとえば、ベストプラクティスといった「成功のレシピ」の概念はその典型だ。

まずは、過去50年間に登場した超一流の投資マネジャー3人のアプローチを分析してみよう。のちほど詳しく説明するが、資本市場はほかのどんな市場よりも価値の創造について多くのことを教えてくれる。資本市場における差別化要因は基本的に戦略だけなので、純粋なゲームに近くなるからだ。

## 資本市場に学ぶ

戦略について哲学的に考えるときの難点は、企業の成功や失敗を引き起こした戦略的要因を特定しづらいことだ。もちろん、すべての市場は一種の自然実験で、アイデアの有効性は市場で継続的に検証される。ただし、意図的に仕組まれた実験が行われることはあまりないため、大成功した企業の成功要因を特定することは難しい。戦略が功を奏したのか、戦略と

したいとき、もっとも正確な実験を行えるのはどの市場だろう？企業戦略がどれだけ有効かを検証らいからだ。だがそうなると、こんな疑問がわいてくる。企業戦略がどれだけ有効かを検証は無関係の要素（効率的な業務運営、景気、単なる幸運など）のおかげなのかが見きわめづ

優秀な投資マネジャーからは、ビジネス戦略について多くのことが学べる。なぜなら、彼らはもっとも効率的な市場で良好な成績をおさめている人物だからだ。

資本市場は、まさにそうした実験にうってつけの市場といえるだろう。第一の理由は、資本市場はとりわけ効率的な市場だからである。市場平均より高いリターンを持続できる例はまれだ。そのため、そうした投資家を発見できれば、業績向上の参考になると同時に、比較的効率的でない市場（たとえば人間を直接相手にする市場や雇用市場など）に応用できるヒントが見つかる可能性もある。

第二の理由は、株式市場が純粋なゲームにきわめて近い市場だからだ。プレイヤーはみな、競争で勝つために――つまり「戦略的」に――さまざまな判断を下す。あいまいなルールのもとで、投資した資本に対して最大のリターンを獲得するために、それぞれが思考錯誤を重ねていくことになる。

第三の理由は、市場での動き自体がごくシンプルな点だ。金融商品の売買を各自のタイミ

ングで行うだけでいい。選んだ戦略の結果もたやすく測定できる。市場が継続的に評価し公開してくれるからだ。そのため、戦略と結果の関係の分析も、ほかの市場よりはるかに単純明快になる。

最後の理由は、戦略以外の要因がパフォーマンスにおよぼす影響が比較的少ないことだ。参入障壁や撤退障壁は存在せず、スケールメリットもほとんどない。業務遂行能力のよし悪しもあまり関係なく、業務運営の役割も副次的でしかない。さらに、リーダーの統率力やチームワーク、感情指数（EQ）、信頼性、および企業の業績に影響しうるその他の対人能力も、投資ビジネスではほとんど役に立たない。運の影響はあるかもしれないが、せいぜい一時的なものだ。要するに、パフォーマンスの違いを説明できる要素は、戦略のよし悪しだけなのだ。

つまり、こうした市場——情報が広く公開されて透明性も高く、誰もが参加できる公平な市場——で高いパフォーマンスが継続して見られる場合、戦略にかかわる重要な手がかりが隠されている可能性が高い。

## ピーター・リンチと「非対称な」知識

ピーター・リンチは、フィデリティ・インベストメンツの投資信託「マゼランファンド」

を運用していた人物だ。「マゼラン」はさまざまな意味でおそらく20世紀でもっとも成功したといえる投資信託で、最盛期には世界最大の規模を誇っていた。リンチが運用担当者だった1977年から1990年までの13年間で、運用総額は1800万ドルから140億ドルに跳ね上がり、100万人以上の顧客を引きつけた。リンチの投資哲学は独特で、いまなお参考になる。彼の自伝『ピーター・リンチの株で勝つ――アマの知恵でプロを出し抜け』[※1]は、これまでに書かれた投資戦略に関する書籍のなかでもとりわけ啓発的だ。本書でもふんだんに引用させてもらった。

資本市場は、戦略のエッセンスを蒸留するための理想的な試験台だ。

リンチは、投資先の企業（および、その経営陣）にじかに接触することにこだわっていた。毎年少なくとも600社は訪問していたらしい。ウォール街にいることも、ほかの投資マネジャーたちとつきあうこともほとんどなかった。彼は控えめにこうアドバイスしている。「もし私くらいまめに電話していれば、ほかの投資家だって企業の運の変わり目に気づけたはずだ」彼は、この能力こそが自らのコアスキルで最優先目的でもあると考えていた。彼の大前提は、競合するファンドマネジャーたちよりも「知識の食物連鎖のはるか上位」に陣取る必要があるということだった。

ちなみに、もし彼にモットーがあったとすれば、それは「調査する前にさっさと投資しろ」だったに違いない。いってみれば、古くからの教え「カルペ・ディエム（いまを生きよ）」に通じる考えだ。彼は、市場に存在するささいなチャンスでさえ見逃さず、すぐさまものにした。リンチは、調査や分析に時間をかけすぎるのは命取りだと考えた。有能な投資家は、確証が手に入るまでのんきに待ったりはしない。ぐずぐずしていると、勇気あるほかの投資家に先を越されるからだ。

またリンチは根っからの楽観主義者だった。彼は「買わない理由」ではなく、「買う理由」を探そうとした。リンチいわく、この市場で活動する「知識人」の多くに染みついた悪癖のひとつは、失敗のシナリオをつい考えてしまうことだという。自分より学歴の高いライバルたちの最大の弱点は悲観主義であり、成功するにはその点を活かすべきだ、と彼は考えていた。

ビジョンや目的や目標についてあれこれ議論したところで意味はない、というのが彼の持論だった。彼から見れば、投資の目的は「富の創造」であり、それ以上でもそれ以下でもない。どのような場合であれ、目的を議論することは不毛な活動でしかなかった。彼は、自分がとくに好成績をあげられたのは驚くような出来事が続いたときであり、特定の長期目標を定めずに投資したほうが投資は効果的だったことに気づいていた。

リンチは自らの仕事に実験的な姿勢で取り組んだ。失敗したと悟ると、その株をすぐさま売り払った。「間違ったときには自分で気づくべきだ……そして、すぐに売ろう」さらに注目すべきことに、彼は自分の購入判断の多くは間違いだったと認めている。

どんな必勝法にも、噂という要素が含まれている。

　彼は人気のないアプローチをあえて好み、あらゆる「正統性」はファンドマネジャーには無用だとみなした。生まれながらの異端児だった。おそらく彼の唯一のルールは「儲けたければ、みんなが知らないことを発見しろ。あるいは、みんなが固定観念にとらわれてやりたがらないことをやれ」というものだった。

　彼は、真実を求める終わりなき競争に自分は身を投じたのだと感じていた——だからこそ、先手必勝を心がけ、情報源との近さや機敏な反応、自らの直観やひらめきに従ってすぐさま行動する勇気を重視した。また、公開されている情報（学術論文や新聞記事、巷の噂、科学知識、経済予測、アナリストの報告書、記者会見の内容、公式発表など）では、ライバルとの差別化はできないと心得ていた。そうした情報はすでに市場に知れわたり、株価に反映されている。そのため彼は、はるかに厳しい任務を自らに課した。それは「自分だけの発見」をすることだった。つまり合法バージョンの「インサイダー情報」を入手する。それも自らの努力と観察力だけを使って、だ。

ピーター・リンチから学べるのは、戦略的とみなせる意思決定をするには、定番理論や汎用的な概念（ベストプラクティスなど）にとらわれていてはだめだということだろう。経験にもとづいた独自の知見を臨機応変に活用するのが何よりも大切なのだ。

## ウォーレン・バフェットと「市場の非効率性」

別の投資家についても考えてみよう。彼の名はウォーレン・バフェット。「間違いなく、時代が生んだもっとも驚異的な投資家」と呼ばれた人物だ。彼は、バークシャー・ハサウェイ社の経営権を1965年に投資の一環として取得し、以来、簿価ベースで平均年19・0パーセントの利回りを株主に提供している（ちなみに、同じ期間のS&P500指数は年平均で9・7パーセント）。彼の投資哲学とスタイルも非常に個性的で、多くの点でピーター・リンチと異なっている。しかしふたりに共通するのは、戦略は発見のプロセスだという考え方を端的に示す信念や慣行が柱としてあることだ。ここでもバフェット自身が書いた文章をふんだんに引用してみよう。※2 彼は、自らの成功理論のきわめて巧みな語り手でもある。

典型的な資本主義者であるバフェットは、市場を生産的な資本配分をするための経済的手段のひとつとみなし、常に尊重してきた。ただし彼は、市場も人間と同じく間違うことや、投資家たちの意思決定や行動を通して市場が刻々と変化することにも気づいていた。

1970年代以来、効率的市場理論は多くのビジネススクールのファイナンスの授業で神聖視されている。だがバフェットは、「株式銘柄表めがけてダーツを投げて株を選べば誰でも、もっとも優秀で仕事熱心なアナリストが選んだものに匹敵するポートフォリオを構築できる」と述べているようなものだと言って、この理論をばっさりと切り捨てている。

もちろんバフェットも、市場はたいてい効率的であることは認めている。だがバフェットは、ファイナンスの授業で教えられ、多くの投資専門家や企業財務担当者にも受け入れられているある概念を嘘だとみなしている。それは「市場は常に効率的」という概念だ。バフェットはこの違いに注目して投資を行い、裁定取引《アービトラージ》によって平均年率20パーセントの収益を何十年間もたたき出している（それも借入金による投資は行わずに、だ）。

ちなみに、同じ期間の市場全体の平均的収益率は年間10パーセント未満である。彼は、効率的市場理論を教えた人々が誰ひとり誤りを認めていないことにあきれかえり、どんな証拠があればその基本的な誤りに気づくのかと首をかしげながら次のように述べている。

「一度述べた意見を撤回し、聖職者としての神秘性を失うのを嫌がるのは、なにも神学者だけではない」

市場は知恵くらべの場である。

バフェットは、誤った手法を用いる競争相手が現れたときには幸運に感謝したと語る。「ブリッジであれ、チェスであれ、株選びであれ、知的な競争において『考えることはエネルギーの無駄遣いだ』と教わってきた相手をもつこと以上に有利な状況があるだろうか？」

またバフェットは、自らの知識の範囲と限界を知ることの重要さを強調した。彼が投資するのは、自分が事業内容を理解できている企業だけだという。IBMの創立者トーマス・J・ワトソンは「私は天才ではない。得意な分野はいくつかある――そうした分野に私はとどまるようにしている」と言ったそうだが、バフェットもまったく同じ意見だろう。

## リンチとバフェットの違いと共通点

このふたりのすぐれた戦略家には、際立った違いがいくつかある。

- リンチは勤勉さを美徳とみなして実践したが、バフェットは「安易に動かないことは、賢明な行動のように私たちには思える」と誇らしげに語っている。
- リンチは日和見主義者だったが、バフェットは自制と忍耐のお手本のような人物である。
- リンチは毎年何千ものこまごまとした意思決定を行ったが、バフェットの場合はごくわずかである。

しかし、その哲学の共通点ははるかに多く、内容も刺激的だ。

- 自分が直接観察した内容に自信をもち、独自の投資アプローチが成功すると考えている。
- 市場を包む気分や市場に飛び交う噂話に振り回されないと固く決めている。
- リスクに対して前向きである。この姿勢をバフェットは「ほかの人々が怖がっているときにこそ貪欲になる」と表現している。
- 計画や達成目標、ビジョン、マイルストーン（重要な節目）といった固定された「行き先」はまったくない。
- 公開情報やマクロ経済指標を信用せず、投資戦略の基盤として汎用的な公式を用いることも否定している。
- アカデミックな世界の「近代的金融理論」を完全に拒絶する。ここには効率的市場理論、資本資産評価モデル（CAPM）、ベータ値（β値）、ダイナミック・ヘッジ、オプション理論なども含まれる。
- 継続的に学ぶための手段として実験をとくに重視する。
- 正確さよりも明快さ、あいまいさよりもシンプルさを好む。
- 異端児的な傾向が強く、正攻法や定番理論や一般通念を疑う「批判精神」を重視する

（この点はとくに重要だ）。

## ビジネスにおける「カテゴリー錯誤」

企業のパフォーマンスに関する理論の多くは、何事にも「正しい」やり方があるという前提にもとづいている。「エクセレンス」「コンピテンス」「ベストプラクティス」といった概念が人気を集めるのも、そうした前提がビジネスマネジャーに強く影響している証拠だ。企業の成功は、標準化されたタスクをうまくやり遂げたご褒美とみなされる。

こうした見方は、料理や陶芸、園芸といった職人的スキルには当てはまるかもしれないが、スポーツや戦争、ビジネスといった競争的性格をもつ活動にはいっさい当てはまらない。能力の競い合いには「正しい」戦法などない。標準的な勝ち方なども存在しない。また、競争する目的は、特定分野における自らの知性を試すためであり、汎用的な理論や必勝法の知識を確認するためではない。

> チェスの名人が名人になれたのは、「ベストプラクティス」を採用したからではない。自分自身で創意工夫したからなのだ。

成功するためのアルゴリズムを提案するビジネス理論は、ほとんどの場合、役に立たない。その手のものにできるのは、せいぜい経験則（有益なひらめきが浮かんだときに気づくコツや、そうしたひらめきを浮かびやすくする環境づくりのコツなど）を教えるぐらいである。いわゆる「科学的手法」も、断じて手法などではない。科学的命題とみなされるための基準（検証可能性や反証可能性など）と、そうした命題の信ぴょう性を検証する方法（たとえば実験）を定めているにすぎない。一方、「発見する」という行為は自動化されることはない。

成功する戦略を策定するための理論が存在すると信じるのは、「カテゴリー錯誤」をおかすことである。カテゴリー錯誤とは、対象物を誤ったカテゴリーに入れてしまうことで生じるミスを特定するために、20世紀イギリスの分析哲学者ギルバート・ライルが用いた言葉だ。※3彼は、こんなたとえを使って説明している。オックスフォード大学を訪れた人が、建ち並ぶカレッジや図書館を見学したあとでこう言った。「……それで、大学はどこにあるんでしょう?」つまりその訪問者は、大学とはなんらかの機関を指す概念ではなく、自分が見てきたような建物の一種だと誤解していたのだ。

同じように、戦略を専門職的業務（既存知識の適用）の範疇に入るもので、発見（知識の探求）とは関係ないとみなすのは、いまや一般的になりつつあるが、あまりにも安易だ。

## ジョージ・ソロスと「誤りをおかす危険性」

ここでピーター・リンチとウォーレン・バフェットからいったん離れ、まったく異なるタイプの投資家であるジョージ・ソロスに目を向けてみよう。ソロスの投資理論は大きな成果を収めたが、哲学的に見てもかなり深遠だ。戦略に対する彼の理解は示唆に富んでいる。

彼の主力投資商品だったクォンタム・ファンドは、26年間に年平均で約35パーセントの利回りを顧客に提供した。それも、運用者への利益分配を行ったあとにである。ソロスは、自分がなぜ成功できたかを説明する理論を注意深く構築し、『相場の心を読む』[※4]という著書を刊行している(本書におけるソロスの引用は、すべて同書にもとづいている)。そのベースとなっているのが、科学と「開かれた社会」に関するカール・ポパーの哲学だ。

ロンドン・スクール・オブ・エコノミクスでポパーに学んだこともあるソロスは、自分の投資成績は金融市場についての自らの理論の有効性を裏づける証拠であり、一般的な経済理論に対する反証にもなりうると主張した。ソロスほど投資判断のベースとなる哲学の一貫性を重視したファンドマネジャーもいない。

バフェットやリンチと同じように、ソロスも「近代ファイナンス理論」を(市場効率に関するその前提にもとづく各種の理論や手法も含めて)信用していない。「あれ(効率的市場理論)は100回中99回使えても、残りの一回はまったく使えない。私が気になるのはその一回なんだ」と彼は述べている。彼は、「市場は継続する」という前提があるせいで効率的市場理論で無視されている「システミックリスク」の要因を特定し、市場が継続しない場合を想定する理論を構築した。その理論こそが、彼が投資の世界で成功した秘訣といえる。

ソロスによれば、彼は自分自身をプロの証券アナリスト（security analyst）というより、「不安アナリスト（insecurity analyst）」に近いとみなしているそうだ。つまり、自分が間違うかもしれないと自覚し、そこから生じる不安を活用するのである。不安になれば慎重になり、どんなささいなミスでも修正しようと思うものだ。彼は常に、自らの不安を成功の糧にしてきた。自分が成功者だと認めることはおそらく絶対にないだろう。「自分（および他者）は間違うかもしれない」という感覚こそが彼の力の源であり、個人的な哲学の礎にもなっている。

「不完全な理解こそが人間にとって当たり前の状態だとわかれば、間違っても恥ずかしくはない。恥ずかしいのは、間違いを正せなかったときだけだ」（ジョージ・ソロス）

彼はカール・ポパーから、クリティカルシンキングこそが科学の証だという概念を学んだ。常に自分自身の欠陥を探し、他人に対しても同じようにする。世のなかの動きが自らの予測と実際に一致しているかどうかを注意深く観察する。予測通りでない場合には、間違った道に迷い込んだと自覚し、ミスの原因を必死に探す。自らの前提をもう一度確認し、どこで間違えたかを見きわめようする。

ソロスのものの考え方の中心には「この世界に対する自分たちの理解は、本質的に不完全である」という概念があり、彼はそれをきわめて重視している——だから現在流行しているような、大義や信念に情熱的に取り組む姿勢には懐疑的だ。彼はイデオロギーを警戒する。「私は思考する参加者であり、思考することとは対象の外に身を置くことだ」と述べ、客観的観察の大切さを強調している。

ソロスは、自分の競争相手のほとんどは仕事中毒で、結論を出すのに必要な分よりはるかに多くの情報を収集してしまいがちだと指摘し、「もし適切な判断ができて適切なことをひらめければ、リスクを負う場合であってもそれほど必死に働く必要はない」と語っている。

情報がありすぎれば、集めたデータを自らの洞察の代わりにしてしまいかねない。そのうえ正しい判断をゆがめる恐れもある。手間をかけすぎて逆に真の知恵が見えなくなってしまうからだ。バフェットは「怠惰とも呼べるほどの不活発さが私たちの投資スタイルの礎である」と自認しているが、ソロスも「結論を出すのに必要最低限のことしかやらない」と述べている。

ソロスによれば、いわゆる主流の経済理論は、経済行為に関するもっとも重要な事実を無視しているという。彼はその事実を「再帰性」と呼んでいる。思考する参加者は、自らが矛盾した状況にいることに気づく。そこでは予測される結果は、その予測によってかたちづくられている。一般的に科学者は、ある事象を理解するという行為を受動的な観察者とそれとは独立した現実との関係と解釈する。だが、その事象が市場動向である場合、観察者と参加者の役割を切り離すことはできず密接につながっている。

市場参加者が「完全な情報」にもとづいて行動しているという前提に立つとき、経済学者は誤りをおかす。市場についての「完全な情報」を入手できることなどありえない。その理由は簡単だ。市場参加者の思考が常に市場に影響をおよぼし、市場も同じように参加者の思考に影響をおよぼしているからである。

## 資本市場の「勝ち組」から学べることは？

リンチ、バフェット、ソロスの3人は、そろって次のように確信していた。

- ビジネスを成功させるカギは、定番理論ではなく直接得た知識にある。
- 人間はもともと間違いやすい生き物だ。
- 独善的な考え方は、戦略に欠かせないクリティカルシンキングの対極にある。
- 試行錯誤を通して答えを探そうとするアプローチ（「調査する前にさっさと投資しろ」）

は、ダーウィンの進化論の「突然変異が自然選択によって選別される」という論理に通じる部分がある。

● 時には、行動する前に慎重に検討するよりも、まず行動してその結果から考えるほうが簡単に真実にたどり着ける。

勇気をもって、新たな考え方を採用しよう。

こうした思想は、科学者の考え方や仕事の進め方についてのカール・ポパーの説明に驚くほど似ている（ポパーはこれを「科学的発見の論理」と呼んでいる）。ポパーは自らの哲学の基盤は理性の行使にあると考えた。それは彼にとって、自分の批判能力（自己批判も含む）を活用することを意味していた。

カール・ポパー（１９０２～１９９４年）は、おそらく20世紀の科学哲学者のうちもっとも大きな影響をおよぼした人物で、その思想はいまなお議論を呼んでいる。彼のおもな興味は、科学的知識の進展や、科学的命題と形而上学的な「神話」世界の命題を分ける基準、社会科学や歴史の手法、「開かれた社会」の特徴といった領域にあった。

ここからは、科学関連のポパーの哲学の要点を大まかに紹介し、それらがなぜ哲学的に一貫したビジネス戦略理論の必須要素になりうるかを説明したい。

## ポパーの「科学的発見の論理」

### ◎帰納法を捨てる

ポパーは、帰納法、つまり一般法則を個々の事実から導き出す推論のプロセスは「迷信」だと主張した。16世紀にフランシス・ベーコンが科学の手法を体系化しようと試みて以来、自然科学は帰納法の科学とみなされてきた。その考えのもとでは、科学における発見はデータを整理した結果であり、客観的な観察を繰り返してデータを収集・分類することが理論や原理の形成や正当化（根拠づけ）につながっていた。

もちろん、こうした手法はいまも社会科学の領域に横行しており、多変量統計分析は長く定番的な研究手法となっている。また同様の傾向は、今日のビジネスでの「ビッグデータ」や「アナリティクス」の流行にもうかがえる。

だが帰納することなどは実際には不可能だ。普遍的な理論は、特定の事実（単称言明）から推論できるものではないのだから。有名なたとえを用いるなら、「すべての白鳥は白い」という理論を証明することは、どれだけ多くの白鳥を観察しても不可能である。黒い白鳥が一羽見つかっただけで誤りとなってしまうからだ。

一方、反論するには、たったひとつ事例があればいい。科学の発展は、帰納的な検証を通してではなく、演繹的な仮定とその反証を通して行われてきた。言い換えれば、科学では証明よりも反証が重視される傾向がある。

### ◎批判的合理主義の提唱

ポパーは、演繹法――彼が「批判的合理主義」と呼んだ、試行錯誤のプロセス――を支持し、帰納法を切り捨てた。

「あらゆる人生は、問題解決のプロセスである」（カール・ポパー）

科学的思考は、共同での問題解決以外の何物でもない。過去の科学者たちから継承した大量の理論が前提としてあることもその証拠だ。このとき、ある人が自分自身の問題を解決するために考案した理論は、あくまでも推定上の概念であり、その人がつくりだしたでたらめな推測にすぎない可能性もある。ポパーはこの点を指摘する際、「私たちの知性は、法則を自然から導き出すのではない。自然に課すのである」[※5]というカントの言葉を引用している。すなわち、自分の理論を自然や事象などの対象から導き出すのではなく直接構築しようとして、想像の世界、つまり現実世界の事象を説明するための概念体系を演繹法でつくり出すのだ。こうして私たちが知識とみなすものは、反証されないかぎり完全なる仮定上の存在として生き残る。ポパーは、こうした理論を「存在する現実をつかまえようとして投げかける網[※6]」のようなものだと説明している。

### ◎「誤りをおかす危険性」を認める

ポパーは、人間が合理的な行動をとるためには自らの信念に忠実でなくてはならないという一般通念を疑問視している。彼は、信念はけっして合理的ではないとし、合理的であるためには、むしろ自分の信念に懐疑的であり続ける必要があると主張した。

合理性は、人間の「誤りをおかす可能性」と密接な関係がある。自らの信念体系のもろさを自覚することで、人は合理的になれる。要するに、合理的になることは批判的になることでもある。自分の批判能力を総動員して、重要な問題を解決するカギと自称するものと対峙するのだ。合理的であるためには現在主流の科学や科学界の動向にも留意すべきだが、それらに振り回されてはならない。

## ポパー的な企業戦略理論（凝縮版）

### ①戦略とは、批判的合理主義の実践である

効果的な戦略思考は、科学的発見の論理に似ている。戦略のアイデアを得ようとするとき

に推奨されがちなのは帰納法的アプローチだが、その助言に従ってはならない。帰納法的なアプローチでは、まず客観的な観察を行い、データを収集して統計的に分析し、各種の発見・結論にいたる。むしろ、ポパーが次のように定義する批判的な科学手法をまねるべきである。

知的な意味での重要な目的は多くはない。問いを立てること、その問いの答えとして暫定的な仮定をすること、競合する理論を批判的に討論すること……このとき、討論の主要原則となるのは真実の探求である。[※7]

競争戦略を立てる際の出発点として無意味なのは、汎用的な理論を使うことだ。たとえば「価格競争は絶対に始めるな」「コストリーダー（コストをもっとも安く抑えられる企業）が常に勝つ」「コングロマリットは株式市場で実際より低めに価値評価される」といったことだ。また「マクロ的な状況」（未来の経済動向、潜在的な市場規模、対象業界に現れそうな新興勢力など）を考えることにも意味はない。成功する戦略が、広く知られた知識にもとづいているケースはほとんどない。企業を儲けさせてくれるのは、ライバルも使っているアイデアではない。独自の考え方をしてこそ成功できるのだ。

## ②戦略は発見である

ハンガリーの生化学者セント＝ジェルジ・アルベルトは「発見とは、誰もが見たことがあるものを見て、誰も思いつかなかったことを考えることだ[※8]」と語った。富の創造につながるどんなアイデアも、はじめは大胆な推測のひとつにすぎなかった。経済学者のマーク・カッソンは次のように述べている。

起業家は、自分こそが正しくて他人はみな間違っていると考える。起業家精神の真髄は「人と違う」ことにある。みなと同じ状況を見ても、独自の受け取り方をする。だからこそ起業家は貴重なのだ。もしその人がいなければ、世界はまったく違っていたかもしれない。[※9]

戦略の対象となる状況は毎回異なる。大事なのは、その状況ならではの特徴に注目し、そこから発想すること。その結果、戦略的なソリューションもさまざまになる。その基盤にあるのは気づきであり、ルールや原則ではない。気づきとはちょっとした発見で、すぐに忘れてしまうようなものである場合も多い。それでも、新しいことに気づくのだ。

要するに起業家精神――市場を「ゲームメイク」する特別な能力――とは、こうした気づきを生む能力とその気づきをビジネスにする勇気と粘り強さの組み合わせである。どんな偉大なビジネスも、これはという思いつきをかたちにすることから始まった。新たな発見や気づきが枯渇するにつれ、ビジネスも精彩を欠いていく。

## ③大胆な推測を戦略に用いる

マネジャーは、競合他社と同じような意思決定をするために給料をもらっているわけではない。その思考プロセスがどれだけ合理的でも例外ではない。またマネジャーは、未来に向けた独自のアプローチを開拓することも期待されている。その際には判断を誤る危険があったとしても、少なくとも自分の想像力を自由に働かせるべきだし、ライバルをしのぐ機会を積極的に探すべきだ。ただし、奇妙なことに論理的な思考をしようとするほど、誰もが既存の知識をもとに意思決定し、汎用的な戦略法則にそのまま従おうとする。その結果、プロジェクトをごくありきたりのものにしてしまいがちだ。

だからこそビジネスは難しい。苦しくて楽しく、知的な人々を引き寄せる。ビジネスを成功させるカギは知的な勇気にある。わかりきった戦略はあえて無視し、定番の解決法や流行り廃りにも惑わされず、自分で舵をとることが大切だ。合理的であろうとすれば、自ら進んで「その他おおぜい」になってしまう。だが市場は、おおぜいで群れたからといってご褒美をくれるわけではない。

オペレーションズ・リサーチの草分けのひとりであるラッセル・アコフは、次のように述べている。

誤った行為は、正しく行えば行うほどその誤りが大きくなる。誤ったことをしながらミスを修正しても、いっそう誤ることにしかならない。それなら、正しい行為を誤った方法で行うほうが、誤った行為を正しく行うよりもずっとましだ。[※10]

## ④戦略家は実験科学者として行動する

もしなんらかの定義ができるとすれば、戦略のプロセスは驚きと、その驚きによって偏見のない心に生じる自然な好奇心が出発点になる場合が多い。驚きが生まれるのは、たとえば定評ある理論の予測が外れたときや、従来のやり方が期待通りの結果を生まなかったときだ。注意深い戦略家はそうした驚きを、市場からのお告げと受け取る。市場は「お前の思い込みを調節しろ」と告げているのだ。その思い込みが過去にどれだけ信頼できるものだったとしても関係ない。言い換えれば、その驚きの内容がどれだけ予期しなかったことでも、その内容こそが答えを探すための合理的なプロセスの新たな前提になる。

多くのマネジャーは、自らの前提から信頼できる推論を導こうとはするが、そうした前提がそもそも正しいかどうかを厳密に検証しようとはしない。つまり、マネジャーが誤りをおかすのは、推論のしかたが悪かったのではなく、その前提にある信念体系が間違っていた可能性が高い。だからこそ、実験を繰り返すことが重要なのだ。まとめると、次のようにいえる。

●企業の戦略には、問題と暫定的な仮説の設定、積極的な実験という要素が含まれ、あらゆる議論の基本的な枠組みとなる。

●戦略的になるとは、想像力に富んだ大胆な推論を検証する勇気をもつと同時に、自分の推論を反証しうるものを進んで探す慎重さをもつことである。

●どんな意思決定であれ、戦略的とみなされるためには、独自の理論（仮定）にもとづく必要がある。またその理論は実験によって反証可能でなければならない。

●戦略的に事業を運営するためには、その事業を自らの理論を継続的に検証するための試験台とみなす必要がある。

●戦略家の条件は、自分は間違う可能性があると自覚する一方で、新しいことを発見する自らの能力への自信を失わないことである。

●戦略家の能力を測る目安は、その信念体系において真実が占める割合の増加率である。

## 善意のパラドックス

政治学者のアンソニー・キングとアイバー・クルー[※11]は、スエズ危機以後のイギリス政府の政策を分析し、その結果発見した数々の「惨劇、人為ミス、システム上の失敗」を「大チョンボ」と呼んで次のように定義している。

政府が、ひとつまたは複数の目的を達成するために特定の行動を採用したのち、大部分または完全に自らの不手際により、前出の目標の達成に完全に失敗すること。あるいは一部または全部を達成したものの、どう見ても不釣り合いな費用をかけてしまうか、甚大な「巻き添え被害」を（意図の有無にかかわらず）引き起こしてしまうこと。

同書で取り上げられている「大チョンボ」には、次のようなものがある。

●各種の法律（1971年労使関係法、1975年土地公有化法、1991年危険犬種法、1995年児童扶養法、2003年免許法など）。

●各種のイニシアティブ（労働組合、コミュニティケア、人頭税、鉄道民営化、スーパーカジノ、法定住宅情報パック（HIP）、反社会的行動禁止命令（ASBO）、IDカード、プライベート・ファイナンス・イニシアティブ（PFI）、ミレニアム委員会、個人学習口座、税額控除・繰延税金、資産回復庁（ARA）、農村地域支出庁（RPA）など）。

●各種の意思決定（中距離弾道ミサイル「ブルーストリーク」や超音速旅客機コンコルド、デロリアン（自動車）への投資、欧州為替相場メカニズム（ERM）からの離脱（1992年）、年金に対する税制優遇制度の改革（1997年）、所得税最低税率（10％）の廃止（2007年）など）。

キングとクルーによれば、こうしたケースの大半で、是正措置が問題をさらに悪化させているという。そうなると、頑張れば頑張るほど状況は泥沼化するため、がっかりすると同時に困惑し、最後にはやる気を失くしてしまう。

政治の世界からビジネスの世界に目を転じても、こうした「大チョンボ」を彷彿とさせる例はいくらでもある。たとえば多くの事業慣行は、一種の転位行動（攻撃か逃避かを選択しなければならない葛藤状態に陥った動物がとる、まったく別の行動）にしか見えない場合もある。多くのマネジャーたちは、顧客が直面する差し迫った問題のよりよい解決策を生み出すことに全力を集中するのではなく、官僚的な「儀式」に時間を費やす傾向がある。

そうした「儀式」としては、たとえば、ミッションステートメントやバランス・スコアカード、トリプルボトムライン、リスクレジスター、社会的責任監査、ステークホルダー（利害関係者）憲章などが挙げられる。要するに「先進的なプロフェッショナル」といった印象を与えるイニシアティブだ。その結果、マネジメントの時間の多くが非生産的な活動のために消費されてしまう。戦略学を専門とするゲイリー・ハメル教授は、アメリカ経済にはびこる「無益な官僚主義」を金銭に換算し、年間3兆ドル以上――アメリカの国民総生産（GNP）の約17パーセント――が無駄になっていると指摘している。[※12]

マーケティング分野の研究者であるティム・アンブラーは、イギリス企業の取締役会の行動傾向を調査してこんな報告をしている。

「取締役会では、キャッシュフローの収入部分がどこから来てどうすれば増やせるかよりも、支出部分や計算方法のほうが注目される傾向がある。その差は平均で9倍以上にもなる」[※13]

英国広告業協会（IPA）会長ロリー・サザーランドも、イギリス経済（および、その他の多くの西洋諸国の経済）の停滞の原因についてこう指摘している。

いまの時代に出まわるビジネス分野の刊行物にさらされれば、誰でも、事業の価値を高め、成長させる最善の方法は、合併・買収、バランスシートの不正操作、アウトソーシング（外部委託）、オフショアリング（業務の海外移転）、経営の合理化、税金逃れ策、事業の再構築、レバレッジ（他人資本の活用）といったことだと結論せざるをえない。それはつまり、人々が求めるものを発見し、それを最終的には利益が出るようなかたちで信頼関係を深めつつ提供していく、といった面倒な作業は必要ないということだ。※14

ビジネスの世界でも政治の世界でも同じだが、管理職の無能ぶりは、「最新」「最先端」「ベストプラクティス」といった聞こえのよい言葉でカモフラージュされている。そうした言葉は、その活動が本質的に無意味であるという事実から人々の目をそらすために使われている。プリンストン大学の哲学者ハリー・フランクファートはこう問いかける。「どうしてこんなにたわごとばかりなんだ？※15」

その答えの一端は、私たちのだまされやすさにある。どんな政策や方針であろうがかまわない。善良な意図があるか、特定のマネジメント用語でおめかしするかすれば、「好ましい結果をもたらしそうだ」と私たちに信じさせることは難しくない。事実、つじつまを合わせる必要が自分のもっている知識を上回る状況では、必ずといっていいほどたわごとが増える。

キングとクルーの例から学べる教訓は、私たちは自らのビジョン（あるいはミッション、目的、手法、計画）の重要性や崇高さを過大評価しがちな一方で、そうした目標を達成するための前提となる「現実」の重要性や信ぴょう性を過小評価しがちだということだ。「効果的な方針とそうでない方針を分けるのは、証拠の確かさではない。目的の正当さだ」「正当な目的をもった善人は成功し、逆の場合は逆になる」そんなふうに考える、おめでたい人は多い。

実際、こうしたアプローチは、方針や戦略を評価するときに頻繁に用いられる。「この戦略は、高潔な意図にもとづいているだろうか？」といった具合にだ。つまり戦略の質を戦略家の質で判断しているのである。そのため、誤った戦略であっても、その訴え方に説得力があれば簡単になびいてしまう。

## 偏見のない、開かれた心

「自分の前提には多くの間違いが含まれている」と考えるようにすれば、意思決定をするときの心構えも一変するだろう。たとえば自分の考えの正しさを証明するときには、裏づけではなく反証を探そうとするだろう。自信をもって決断できる根拠は、裏づけとなるデータの豊富さではなく、有力な反証の発見しづらさであるべきなのだ。

自分とは意見が異なる相手と議論するときにも、自分が結論にいたったプロセスをひたすら擁護するのではなく、相手が結論にいたった道筋に興味をもつようにしよう。そして相手の考えに異を唱え、反証しようとする前に、その考えを補強できないかと考えてみよう。相手の考えが真実に通じている可能性は、自分の場合より高くもなければ低くもない――そんな前提に立とう。何より重要なのは真実だ。言い出しっぺが誰かなどどうでもいい。じっさい、世界観の共有につながる話し合いにおいては、どのアイデアを誰が提案したかは忘れられてしまう。

議会の答弁、BBCの報道番組「ニュースナイト」のインタビュー、選挙期間中の政策論議――どれも同じように、対立する人々による議論は耳の不自由な人同士の独り言合戦のようになりがちだ。それでも、ごくたまにだが、純粋な好奇心からの敵意のない質問やコメントが混じることもある。たとえば次のような発言だ。

「いい着目点ですね」「どうやって思いついたんですか?」「一理あるかもしれません」「なるほど、思いもよりませんでした」「素晴らしいアイデアです」「そのアイデアを発展させるとしたら、どうすればいいでしょう?」「なんで気づかなかったんだろう?」「つまり、こういうことですか?」

合理性は傑出した精神に宿る。そうした精神の持ち主は、何かを証明しようとも、議論に勝とうとも、世論を扇動しようとも思わない。そして新たなデータや革新的なアイデア、第三の観点にも偏見なく向きあう。誤りをおかす不安に対しても、だ。

# 第4章のまとめ

ビジネスにおける合理性は、少なくとも次の3通りに解釈できる。これらの解釈はそれぞれまったく異なる。

**1. 合理的な行動とは、一定の目的を達成するために最適な手段を見きわめることである。**その基盤には、「成功するビジネスは目標を達成する」という通念がある。多くの経営幹部もこの前提によってつき動かされ、団結している。この解釈にもっとも密接に関連している業務慣行としては、MBO（目標による管理）や戦略的市場計画などが挙げられる。

**2. 合理的な行動とは、既存の知識から論理的に導き出せるものである。**その基盤には、ビジネス上のすぐれた意思決定は根拠のある理論を応用してなされるという概念がある。

こうした前提にとくに密接にかかわっているのは、大学の経済学部やビジネススクールといった学究的な世界や経営コンサルティング業界である。ケーススタディ手法を利用したり、ベストプラクティス、ＴＱＭ（総合的品質管理）、オペレーショナル・エクセレンス（現場の業務遂行能力の高さ）といった概念を採用したりするのもこの解釈の現れといえる。

**3. 合理的な行動とは、新たな知識を得たいという意図でとられた行動である。**その第一歩は有益な問いを立てることだ。すぐれた答えが得られれば、その企業に競争上の優位性がもたらされる。科学的発見を支え、大部分の起業家にやる気を与えているのは、こうした前提である。この概念をとくに端的に表しているのが、デザイン思考や「継続的な実験」のアプローチである。

戦略思考は、三番目の解釈と固く結びつけられるべきである。実質的に三番目の解釈は、ピーター・メダワーによる科学的手法の定義[※16]を借りるなら、合理性を「問題解決の芸術」と定義している。その前提には、企業のパフォーマンスは、究極的には競合相手について学習するペースによって決まるという考え方がある。つまり、ビジネスにおける合理性とは試行錯誤のプロセスだと解釈できる。マネジャーはその際、周囲に働きかけ、自身の理論のもととなるデータを実験によって生み出していく必要がある。

## あなたへの質問

1. あなたが携わるビジネスの戦略計画は、「達成したい数値目標」「採用したいベストプラクティス」「検証したい信念体系」のどれに近いだろうか？
2. どんな質問をすれば、業績向上に大きく貢献する答えが得られるだろう？
3. そうした答えのひとつとして、いまもっとも検証してみたい仮説の候補は何だろう？
4. その仮説をすぐさま低コストで検証するための実験として、どんなものが考えられるだろう？

もし戦略が一連の実験だとするならば、次の章ではこう問いかけてみたい。

「そこでリーダーが果たす役割は何なのだろう？」

# 第5章 「お手本」のありかたと公平さ

この章では、ある一般的な概念にあえて疑問を投げかけたい。それは、「リーダーのおもな役割は、指示を出し、ルールを定めることで、部下が集中して仕事に打ち込めるようにすることだ」という概念だ。代わりに私たちが提案する見方では、「リーダーとは自ら模範を示す人物であり、部下が成果を上げるためには公平さが必要だ」と考える。

いまこの瞬間、役職にかかわらず多くの人が〈疎外〉を感じている。もしあなたが、〈疎外〉を追い払い、自分のエネルギーと影響力を誰もが輝ける環境づくりに役立てたいなら、まずは自らの考え方や行動を変化させ、「この組織は、どんなふうにすれば人の役に立つのだろう？」と考えてみよう。このときの「人」とは顧客や株主だけではなく、あなたの同僚――自らの時間とエネルギーをお互いのためや共同で行う仕事に捧げている人々――も含まれる。自分がどんなお手本を示しているかに敏感になり、相手の立場に立つようにしよう。

また、自分たちの職場に公平さがあるか否かも、あらためて考えてみるべきだ。

この章では、20世紀の哲学者ジョン・ロールズに登場してもらい、公平さとは、何かを均等に配るだけの単純な話ではないことを確認したい。職場に公平さをもたらすには、自らの仕事に責任をもち、格差に注意するだけでなく、社員全員で絶えず努力する必要もある。こうしたときこそ、リーダーシップの出番だ。

また、古代ギリシアの哲学者プルタルコスの意見を参考にして、「お手本」とはどんな存在かについても考える。お手本とはつまり、周りから「見習いたい」と思われる存在であり、その場にいるだけで周囲の人に自信やモチベーションを与えてくれる存在のはずだ。

## 分断された世界

たいていのリーダーシップ理論には、「この世界には、率いる者と率いられる者がいる」という暗黙の前提があり、そうした見方は無条件で正しく、上司は部下よりもはるかに自由に考え行動できて当然だとほのめかしている。

同じように、今日の官僚制度の要素——たとえば、ヒエラルキー（階層構造）、報告・計画体制、統制メカニズム、承認手続き、金銭的なインセンティブ、取り組みのプロセス——も、「私の人格や行動は重要だし、意味がある」という人々の感覚をむしばむ役割を果たしている。そうした感覚こそが、人間らしく高潔なコミュニティの核となる、人間本来の感覚だというのに。

今回は、20世紀が生んだたぐいまれなリーダーを紹介したい。ヒエラルキーや官僚制、マネジメント手法などに頼ることなく、組織を驚異的な成功に導いた人物だ。

## マックス・ペルーツとキャヴェンディッシュ研究所

1936年、ウィーン生まれの若く貧しいユダヤ系化学者が、祖国オーストリアを逃れてケンブリッジ大学に到着した。同大学の博士課程で学ぶためだった。その研究者こそがマックス・ペルーツ、のちに「分子生物学の教父」と呼ばれる人物だった。彼はヘモグロビンの分子構造を解明した功績によってノーベル化学賞を受賞し、世界一と称される生物学研究所を設立する。

ペルーツは1947年、ローレンス・ブラッグ卿の協力を得て、イギリス医学研究協議会からの支援を勝ち取り、ケンブリッジのキャヴェンディッシュ研究所に分子生物学の研究ユニットを立ち上げた。彼以外の研究員は、ペルーツが初めて指導した博士課程研究生のジョン・ケンドリューだけだった。彼とケンドリューは15年後、ノーベル賞を共同受賞することになるが、そのときには、この研究ユニットは90名の研究者を抱える大所帯となっており、

MRC分子生物学研究所（MRC）と呼ばれていた。MRCは、DNAの分子構造を発見したフランシス・クリックとジェームズ・ワトソンといった著名な研究者を多く輩出している。

ペルーツは、MRCの黄金期ともいえる1962年から1979年まで所長を務めた。彼が2002年に世を去るまでに、一研究ユニットから始まった同研究所は、9つのノーベル賞（共同受賞を含めて13名の科学者が受賞）を生み出し、メリット勲章受賞者4名とコプリ賞（イギリス王立協会から贈られる最高の栄誉）の受賞者9名を輩出している。

ペルーツはどうやってこれほど大きな成果を上げたのだろうか。何か秘訣があったのだろうか？　まず挙げられるのは、彼が研究所の事務機能をごくシンプルな必要最小限のものに限定したことだ。彼は、自分がめざした文化について次のように語っている。

科学における創造性は、芸術のときと同じで「組織化」できない。どちらも、個人の才能から自然に生まれるものだからだ。うまく運営された研究室は創造性を促進するが、階層型の組織やお役所的な規則、くだらない書類仕事の山は逆に才能を潰してしまう。ひらめきは計画的に得られるものではない。いたずら好きな精霊のように、思いがけない場所にふいに現れるのだ。※1

彼はこんな啓蒙的な言葉も残している。「私が研究を計画することはあまりない。研究が私を計画するからだ」

薬理学者のジェームス・ブラック卿は、研究者を育成するためにペルーツが用いたアプローチを振り返り、だからこそ「派閥も委員会も報告書もなかった。お目付役もいなかったし、面談もなかった。そこにいたのは、分別あるひと握りの人々によって選ばれた、やる気にあふれた面々だけだった」[※2]と述べている。

ペルーツの指導を受けた著名な研究者のひとりであるセーサル・ミルスタインは、彼から学んだとくに重要なことについて次のように語っている。

「研究とは何か、その真髄を学ばせてもらった。彼から直接言われたことはないが、常にこうアドバイスされている気がした。『いい実験をしろ、それ以外は気にしなくていい[※3]』」

結果としてペルーツの研究室は、若く才能あふれる研究者たちを惹きつける磁石のような場所になった。ペルーツと仕事をした誰もが、彼の寛大さや穏やかさ、他者を尊重する姿勢に目を見張った。ある共同研究者はペルーツを評して「人間味のある科学者だった。自らの才能を、ほかの人々をかすませるためではなく、照らし出すために用いていた」と語っている。MRCでペルーツと同僚だった長井潔は次のように述べている。

（彼は）自分の学生やポスドクに独立心をもつことを教え、研究状況をうるさく聞いてくることはほとんどなかった。しかし気がつくと隣で仕事をしていて、いつでも快く相談相手になってくれた。アメリカに出張する機会があると、そのつど私のプロジェクトについて人々とディスカッションして、新しいアイデアをもち帰ってくれた。私がまる2年間、まったく成果が出なかったときも、常に応援してくれた。※4

ペルーツは、若き研究者たちの独立心を尊重し、奨励した。言葉ではなく背中で人を導き、自らの時間の90パーセント以上を実験に費やし、ほかの者にも同じことを期待した。そして同僚たちをランチやコーヒーに誘うことで、相手の研究の進捗状況を常に見守っていた。お気に入りの行き先だった気軽な食堂は、彼の妻ギセラが研究者の意見交換の場となるようにと開いた店だった。

彼はどんな人にも、最大限の敬意と思いやり、好意をもって接した。あるとき、いつもの謙虚な口調でこう語ったという。才能あふれる研究者に対して自分がすべき唯一の仕事は、彼らが前進するために必要なものがあれば、それが何であれ、得られるように手助けすることだと。

人を導くために知っておくべきことは、専門知識やノウハウではない。相手が何を必要とし、何に情熱を燃やしているかだ。

## 対等な立場から導く

マックス・ペルーツからどんなことを学べるだろうか？　彼が研究室を率いたアプローチのどんな点が新鮮または魅力的だろうか？

組織は、ちょっと働きかけるだけで、より効果的に機能する。ペルーツは権威や地位に頼るのではなく、お手本を見せて問いかけることで指導力を発揮し、そのアプローチの有効性を実証した。彼は、自分は同僚たちと横並びの存在であり、あまたいる科学者のひとりにすぎないと考えていた。

彼の影響力の秘密は、その人となりにあった。ペルーツに出会って感化された人々は、自分が変わったのは、彼のおかげではなく、自分自身の能力や努力の結果とみなしたに違いない。そうした影響は、知らず知らずのうちに相手におよぶものだからだ。すぐれたリーダーシップがもたらす皮肉ともいえる。だがペルーツは、そう思われて喜ぶに違いない。自分がおよぼした影響を手柄にするつもりはないし、その必要もなかったからだ。

ペルーツのようなリーダーシップのスタイルは、周囲を勇気づけ、それまで思いもしなかったような高みをめざそうという気にさせる。そして、能力（とくに創造性と勇気に関する能力）をさらに引き出す一方で、従順さや運命主義といった弱さからは「乳離れ」させてくれる。誰もが期待や信頼に応えようとし、最高の自分――鏡を見たときに会いたい人物――がどんな表情をしているか思い描く。

キャヴェンディッシュ研究所を特別な場所にしているのは、そこにあるものではなく、そこにないものだった――そのないものとは、組織により私たちを囲い込み、いらだたせるもの。しかし、結局はそのまま受け入れ、誰彼かまわずこぼす愚痴の種になるもの。キャヴェンディッシュ研究所では、そんな心配はまったく無用だ。目標やベンチマークはないし、計画もKPI（重要業績評価指標）もタイムレコーダーもない。その手のものはひとつもないのだ。

KPIを世に広めたことで知られるゼネラル・エレクトリック社は、数年前にそうした逆効果の愚行にようやく見切りをつけ、組織内から排除している。KPIが促進するのは業績ではない。見て見ぬふりをすることが問題なのだ。たとえば、自社のコールセンターの対応件数を最大限にすれば、顧客の忠誠心も最大限にできるとは思わないほうがいい。かかってきた電話から逃れる一番てっとり早い方法は、ほかの人にまわすことであり、問題を解決することにはならない。

ペルーツは、自分がともに働いているのは、自分と同じくらい信頼できて勇気のある、正直かつ勤勉な人物だという前提に立っていた。目的意識も気力も分別もない人物は、そもそも雇わないからだ。おそらくペルーツは、他者のもっともすぐれた部分を引き出すために年功序列制度や官僚的な規則に頼らなければならないとしたら、それを恥と感じたに違いない。彼は科学者たちをコントロールも管理もしないことで、「自らの志や情熱に見あった働きをするように」という明確なメッセージを送った。そして一人ひとりを、個人としての主体性を備えた、かけがえのない存在として扱った。

彼の研究室が成功を収めたのは、パフォーマンスを向上させることに集中したからではない。個々の研究員、そして彼らがもっとも仕事しやすい環境づくりを中心にすべてが行われたからだった。そこでの研究員の仕事とは、自身の専門分野をきわめることと、そうしたいという自然な欲求を維持することだった。

ペルーツは、自分の同僚を「人的資源」とみなしたりはしなかった。人間として、個人として尊重されれば間違いなくいい仕事をする。すべては人に始まり、人に終わる。つまり、実験室で自分の仕事をする科学者たちがもっとも重要なのだ。その仕事を単独で行う場合もあるだろうし、自主的に集まった少人数のグループで行う場合もあるだろう。どちらにしても、ペルーツはその隣で自分の仕事をしていた——彼らの仕事を温かく見守りながら。

## プルタルコスの範例

「お手本を示すことは、他人に影響をおよぼす主要な方法ではない。唯一の方法である」

この格言は、リーダーとしての成功の秘訣をみごとに言い表している。力の行使は、その力のもととなる権威を利用しなくても済む場合にもっとも賢く行われ、有益な結果をもたらす。真のリーダーは本能的にそのことを心得ているので、代わりに模範を示そうとする。

1984年、キャスパーは凶悪犯罪をおかしたとして懲役30年の刑に処され、アメリカのある刑務所に収容された。16年後、彼は釈放された。無実だったと判明したからではない。他者の模範となることを選択した結果だった。

彼は、最初の数年間は犯罪世界のヒエラルキーを駆け上がろうとしつづけ、その刑務所内でもっとも恐れられる受刑者にまでなったが、あるとき突然悟ったそうだ。自分は物語を演じているだけなのだと。それは彼の自己イメージについての物語だったが、自分で選んだ内容ではなかった。それなのにその物語にもとづき、さまざまな意思決定を――悪い選択も含めて――自らの責任で行い、疑問を抱いたことはなかった。いまのいままでだ。

彼が何も疑わずに採用したその物語は、比較的ありふれている。クスリの売人だった父親に虐待され、最終的には捨てられた。周囲はギャングばかり。攻撃から身を守る必要があったので、暴力的で怒りっぽくなったというわけだ。キャスパーは悟りを開いた瞬間に決心した。自分の物語の筋書きは自分で書き、どんな役を演じるかも自分で選択しよう。だがそれは、友人や家族が彼に対して抱いているイメージと戦うことでもあった。

現在、キャスパーは世界各地を訪問し、さまざまな人々——若者も老人も白人も黒人も——のお手本となっている。そして、そうした人々が組織やコミュニティでの自己イメージを一新して前向きなものに変え、もう一度夢を見ようと思えるように手助けしている。

人間はきわめて社会的な動物だ。その振る舞いは、意識的・無意識的のどちらであれ、仲間に強く影響される。人は一緒にいる相手に似るものだ。常に他者をお手本とみなしてまねをし、自らを測る基準にしようとする。これを用いたテクニックははるか昔から使われ、「範例（模範とすべき例）」と呼ばれていた。影響の受け方は無意識的・受動的な状態にとどまらず、道徳的環境づくりなど自ら積極的にかかわるように変わるケースもある。キャスパーはその範例である。

古代の人々はこうしたことを十分に心得ており、意識的に範例を使って人をよい方向に導こうとした。このテクニックを用いたもっとも名高い人物は、1世紀ごろのギリシアにいた哲学者で神官、歴史家でもあったプルタルコスだ。生まれながらの教師だった彼は、よい気質を若者たちに定着させる方法を研究し、彼の手法は長く西洋教育の根幹をなしていた。その証拠に、彼は何世紀にもわたって「ヨーロッパの校長先生」的存在とみなされていた。

プルタルコスは、各人の人となりは理性・感情・習慣の組み合わせだと考え、たいていの人は激励されれば、自らの習慣を理性の力で変えようとするはずだと考えた。誰をお手本に選ぶかは自由だ。実在の人物でも、物語や歴史上の人物でもかまわない。尊敬する人物の姿を思い浮かべ、その人の基準にかなうように振る舞おうと決意すればいい。「性格とは、長続きした習慣である」とプルタルコスは述べている。

性格に関する模倣理論は、人間の性格は習慣の繰り返しによって形成されるというアリストテレスの思想に明らかに影響されている。そのため、備えたい美徳があまりなさそうでも思い悩む必要はない。勇気が必要な状況に直面したら、勇気ある人物は同じ状況でどうするかを想像し、その通りに行動すればいい。つまりその人物のふりをすればいい。そうすれば時とともに少しずつ、その勇気ある人物に近づける。

プルタルコスはこうしたことを念頭に置きながら、かの『ギリシアとローマの英雄たちの人生』(通称『対比列伝』または『英雄伝』)を執筆した。同書には、当時もっとも名の知られた英雄として、アレクサンドロス大王、キケロ、ブルトゥス(ブルータス)、ペリクレス、ポンペイウスといった軍人や政治家46名の感動的な逸話が収められている。彼は自分の読者に対して、こうした英雄たちの偉業をただ学ぶだけではなく、彼らを見習い、人生の指針にしてほしいと願っていた。

われわれの「心の眼《ディアノイア》」も、これを楽しませつつその持ち前の善に導いてくれるような対象に差し向けるべきなのである。このような対象は徳性を発する行為に見出される。それは深く研究した人々の心に負けん気を起こさせ、ひとつまねしてみようという意欲を植えつけるものだ。[※5]

時代やイデオロギーが変われば、範例も変わる。独自の神話が形成され、独自の寓話が書き上げられる。初期のキリスト教信者たちは、プルタルコスの英雄の選び方を異端だとみなしたが、英雄は崇高な目的に貢献するという概念は受け入れた。だからこそ聖人という存在が考案されたのである。ルネッサンス期のイタリアでは、ジョルジョ・ヴァザーリが『芸術家列伝』で芸術家を英雄的に描き、マキャヴェッリは「英雄の成し遂げた行い」を引き合いに出して、未来の王を教育した。また19世紀にはゲーテやカーライル、ニーチェといった書き手により、さらに別の理想像、つまり「情熱的な英雄」が生み出された。

## 組織的行動と手続き上の公平さ

職場でいきいきと仕事をするためには、その職場の全員から正当に扱われる必要がある。なかでも、自分よりも職位の高い人々に正当に扱われることは重要だ。おそらく公平さは、適切に統率された組織が備えるべき第一の美徳だろう。リーダーシップも、そうした組織をつくり出すための技術とみなされるべきだ。

公平な職場で働いていると感じられてこそ、私たちは自らの人間性を最大限に発揮し、自分や他人のために生産的に振る舞えるようになる。

この場合の「公平」とはどういう意味なのだろう？　ひとことで言うなら、「信頼」と同じだ。誰もが直観的に知っていて、その有無を感じることもできるものだ――とくに、欠如している場合にはすぐわかる。とはいえ、私たちがリーダーとして、「公平」の精神を自分の組織にさらに浸透させたい場合、どうすればこの概念をもっと実用的でわかりやすいものにできるだろうか？

ジョン・ロールズはその問題を分析するため、「無知のベール」という有名な思考実験を『正義論』で提案している。[※6]その考え方はシンプルだ。任意の状況を想定し、そこでは権力者によってルールが一方的に定められるのではなく、「その共同体のメンバーが、共同活動を通してともに選択し、その原則が基本的な権利と義務を定め、社会的恩恵の分配方法についても決定する」と考える。

この状況になぜ「無知のベール」が関係あるかといえば、その話し合いが終わるまで、誰も自分がその状況で果たす役割や地位、義務や権利を知ることができないからだ。そのため、こう自問しなければならない。もし、このうちどれかの役割を割り当てられたとしたら、その責務やメリットを私は適切と思うだろうか？「正義の原則は、無知のベールの下で選ばれる」のである。

そうした話し合いから生まれる原則とはどのようなものだろうか。ロールズ自身が、「配分的正義」にかなうとみなしたのはどんなルールだったのだろう？　また、彼は話し合いがどんな進行になると予想しただろう？　ロールズは、「無知のベール」を人々がかぶれば、次のふたつの原理を正義の一般原則として選ぶだろうと主張した。

**1. 平等な自由の原理**　誰もが基本的自由に対して平等に権利をもつべきであり、その基本的自由の範囲は、他人がもつ同様の自由と両立する限りにおいて、最大限のものでなければならない。

**2. 格差の原理**（別名「マキシミンルール」）　社会的・経済的不平等は、次のふたつの条件を満たすときに限り許容される。

①そうした不平等が、もっとも不利な立場の者に利益をもたらす。

②そうした不平等は誰でも就ける地位に伴うもので、その機会も均等に与えられている。

ロールズにとって社会とは、商取引をはじめとするさまざまな集団活動を100パーセント自由に行える場所であるべきだった。その結果、ほかの人よりも権限や収入、地位に恵まれる人が出たとしても、活動自体がすべての人の暮らしに貢献するものならば許容されるべきだ、と彼は考えていた。言い換えれば、ある程度の不平等を許すことで全員が得をしよう、という考え方だ。

「公正(公平)としての正義」の理論を考えるとき、ロールズがとくに重視したのは、富を分配するときにどのようなアプローチが公平とみなされるかという点だった。しかし彼の思考実験は、権限の配分について検討する際にも同じくらい役に立つ。ロールズは、自らの理論は「私的な組織」にも適用できる——企業の活動にも、社会全体にも適用できる——とほのめかしている。ただし彼は、それ以上この問題をきわめようとはしていない。

私たちは、正義についてのロールズの考え方は、ビジネスの世界全体にも個々の職場にもそのまま適用できるのではないかと考えている。もしロールズ式の「無知のベール」をかぶったとすれば、現在、自分たちが身を置いているような組織構造を進んでつくる人はほとんどいないはずだ。

リーダーシップとマネジメント、どちらの分野であれ、そこで用いられている言葉と慣習は(少なくとも、日常的に用いられているものに関しては)公平と平等の原則に反する傾向がある。あらゆる経営理論は「事業活動の目的は組織の繁栄で、従業員はその手段」との前提に立っている。それは「科学的管理法の父」フレデリック・ウインズロー・テイラーの時代から変わらない。その結果、経済学者たちは労働を資本や土地や設備と同様の「生産要素」のひとつと考え、会計士たちも「人的資本」を最適化すべきコストとして金銭換算し、企業も従業員たちを経営者が好きに使える「人材」とみなすようになった。たとえば、従業員は仲間うちで話すとき、「会社のために仕事をする」という言い方をしたりするが、会社が「従業員のために仕事をする」といった表現を使う頻度はそれよりもずっと少ない。

戦略目標や組織の価値観についての議論は、どこか的外れになりがちだ。というのも、私たちが奉仕すべき対象は組織ではないからである。その対象はお互い同士、つまり人間なのである。そして、そのとき前提となるのが公平さだ。公平さの欠けた目標や価値観はすべて「道具主義」であり、権限を利用して個人的な利益を得ようとしていることにほかならない。

ガレス・モーガンがその先見性ある著書『組織のイメージ（Images of Organization）』で一部の組織を「精神の監獄」になぞらえたとき[※7]、彼は、あまりにも多くの組織が、あまりにも理想的な姿からかけ離れていることに注目した。しかし、マックス・ペルーツの研究所の事例は、私たちの希望の灯だ。組織というものが、一人ひとりの志や情熱が尊重される場所にどれだけ近づけるか、またそうした組織があらゆる意味でいかに実りあるものかを教えてくれる。

## 公平さの実践

公平な社会とは、その社会について知り尽くしたうえで、どのような立場に置かれるとしてもその一員になりたい、と思わせてくれる社会である。

――ジョン・ロールズ『正義論』

ロールズは、どのように権限を分配し、意思決定を行い、得られた恩恵を共有するのか、つまり集団活動のなかで生じる平等・不平等の問題をどう扱うかについて、新しい組織のありかたの基礎として提起した。その興味深いアプローチはいまなお有効だ。もし、今日の一般企業に勤める人が「無知のベール」の思考実験を行ったとしたら、どのように公平さを定義するだろう？

たとえば、もっとフラットで民主主義的な組織にすべきだと主張するだろうか。どの程度の不平等ならしかたないと思うだろう？ ミレニアル世代の若者は、経験豊富な年上の同僚とは異なる結論を出すのだろうか？　たとえば報酬の分配方法に関して、彼らは比較的大胆な実力主義のアプローチを支持するだろうか？　また、取締役会はこのプロセスじたいをどうみなすだろう？　まったく的外れ、あるいは有害とみなすだろうか？　こうした問いの答えは、直接の経験や観察を通して見つけていくべきだろう。

この種の議論は実際の組織でどれくらい実現可能なのだろうか。たとえばロールズの思考実験に「命を吹き込む」ことは可能なのだろうか？　あなたは自らの功績や能力、立場、意見を忘れて、原点に戻った自分を想像できるだろうか？　また、これまでの経験を通して身につけた偏見をさしはさまず、そうした議論に真摯に参加できるだろうか？　個人の見解や立場を完全に離れ、「公平な職場」の条件や自分たちの組織の公正な社会的契約に関して、私欲も偏見もない見方をする——そんなことが本当にできるのだろうか。組織の再生に向けた取り組みの一環として、次の実験をぜひ試してみてほしい。

1. 実験に協力してもらう従業員を無作為に選ぶ。
2. 選んだ人たちに、1日だけ同じ部屋に集まってもらう。
3. ロールズ式の議論を行ってもらう。
4. そうした「無私の」議論がどんな結論につながるかに注目する。

「公平さ」について考えるためには、組織のあらゆるスタッフを対象にこうした話し合いの機会を設けることが重要だ。ただし、いざ実施してみると、驚かされることも多いだろう。もしかしたら、リーダーシップや組織構造そのものにダメ出しされるかもしれない。逆にほかのスタッフはあなたよりも慎重で、聡明で、保守的かもしれない。大部分の人がどの程度のヒエラルキーや官僚制を「公平で有益」とみなすかを知って、意外に思うかもしれない。危機が発生したとき、もしくは経験や専門性が必要な分野では、一人ひとりの考え方の差異がとくに顕著に表れるかもしれない。職場であなたが「常識」だと思っていたことに異議を唱えられる可能性も同じくらいある。

私たちの経験からいえば、組織で働く人々のほとんどは、もっと一体感が欲しいと感じ、目的の選択や戦略の策定にも積極的にかかわりたいと望んでいる（とくに、自分に大きな影響をおよぼす意思決定については、その傾向が強い）。また自分の業務をもっと自由に進めたいと感じている。

私たちは前述の実験を、コンサルタントとしても、管理職としても行ってきた。その結果を手短に言おう。誰もが、職場でもっと高い目的意識や帰属意識をもちたいと望んでおり、それを可能にする職場をみなで協力してつくり上げていく必要があると感じていた。ここに紹介する4社の成功事例では、それぞれ独自のアプローチを採用し、社員が「公正に扱われている」と感じ、帰属意識を高められるようにしている。

## モーニングスター社――「同僚間の覚書（CLOU）」

世界最大のトマト加工業者であるモーニングスター社では毎年、全従業員が自分のCLOUを再交渉する。CLOUとは、その人の社内での使命や同意した活動内容などを説明するもので、交渉する相手は、自分の仕事によってもっとも大きな影響を受ける同僚だ。同社の従業員たちは、このシステムを用いて、何を誰から期待すべきかをお互いに調整する。CLOUは自主的な契約で、おもに社内のバリューチェーンに沿って結ばれる。こうした誓約は上下関係にもとづいたものではなく、自分の仕事の質が大きな影響をおよぼす相手に向けて行われる。この場合の「公平さ」とは、従業員たちが当事者同士で合意に達することを認めることである。

ただしCLOUは、モーニングスター社の事業を民主的なものにしている慣習のひとつでしかない。同社の画期的な慣習はほかにもある。その一部を紹介しよう。

- 報告すべき上司はいない。
- その代わり、従業員全員が、自分が果たすべき義務を周囲の同僚たちと調整し合う必要がある。とくに、その義務が果たされることに業務上もっとも依存している相手との交渉は重視される。
- 報酬に関する意思決定も、同僚の評価にもとづいて行われる。

●上下関係や地位をイメージさせるもの（肩書、組織図、昇進など）は、意図的に避けられている。
●交渉で合意した義務を果たすために必要なツールは、自主的に調達する必要がある。その際には、会社の経費を自分の判断で使っていい。

モーニングスター社は１９７０年創業で、カリフォルニア州ウッドランドに本社を置いている。現在の従業員数は約４００人、年間売上額は約7億ドルである。

**W・L・ゴア社――「ラティス（格子型）組織」**

「わが社では、社員一人ひとりに『投票権』がある。もしあなたが招集した会議に人が集まれば、あなたはリーダーだ」これが、年間25億ドル以上の売上を誇るアメリカのハイテク素材メーカーのW・L・ゴア社が社内のリーダーを発見する方法である。リーダーは上から任命されるのではなく、民主主義的なプロセスを通して選ばれる。リーダーを取り巻くチームメンバーも自主的に立候補し、自分の管理は自分で行う。同社では、ＣＥＯを選ぶときでさえグループの話し合いで決める。

W・L・ゴア社はこれまで50年間、伝統的な経営手法を採用しなくても大きな成功を収められることを証明してきた（べつにそのことを証明したいわけではなかっただろうが）。同社の企業文化は「素晴らしいアイデアは、社内のどこで生まれても不思議ではない」という革新的な前提にもとづいている。また、あらゆるアイデアは（その発案者が誰であれ）予算獲得競争に同じ条件でのぞむべきであり、自社のリソースは上から分配されるよりも、（もっともすぐれたアイデアに）自然に集まるほうが効果的だと考えられている。

その結果、同社の組織構造は、あらかじめ決められたポジションと業務で構成される階層構造というより、自主的に定義・編成されたグループが連立する市場のようなものになっている。そこでは一般のあらゆる市場と同じように、競争と協力が同じくらい重視される。能力主義の原則が貫かれ、凡庸さは容赦なく暴かれる。

社員の原動力となっているのは、金銭的なインセンティブではなく内発的な動機であり、どんな貢献をしているかが肩書や経歴よりも重視される。W・L・ゴア社でのリーダーの役割は、こうしたプロセスを促進することだ。管理することでも、統率することでもない。ここでの「公平さ」は、自主的な管理を指すと考えていい。

## HCL社――「上司ではなく、顧客に報告する」姿勢

「『CEO』に対する概念を打ち破るべきだ。『先見性ある人物』『会社という船の船長』なんて概念は破綻しているんだから。うちでは従業員にこう言ってる。『あなたは、上司よりも重要な存在です』ってね。価値の創造は、従業員と顧客の間でなされる。管理職の仕事は、

そのインタフェースにイノベーションをもたらすことだ。そのためには指揮管理制を撲滅すべきなんだ[※8]」

これは、インドに本社を置く大手グローバルIT企業、HCLテクノロジーズ（年間売上55億ドル）のCEOを2007年から2013年まで務め、現在はサムパーク財団の創設者兼会長であるヴィニート・ナイアーの言葉だ。HCL時代の彼のおもなミッションは、組織を90度回転させて、人々が社内の上司ではなく、社外の顧客に向くようにすることだった。彼にとっての公平さとは、おそらく個人間や部門間の信頼のことだったのだろう。

## 日産――「公正なプロセス」にもとづく対話

経営を立て直し、持続的な成長力を新たに生み出すことは、確立されたビジネスが財政危機に陥ったときに直面する難題のひとつである。だが、日産が1999年から2001年までの間に行った経営再建は、適切な手法を用いればその課題はみごとに達成できるという有名な例となっている。同社が採用した手法は、まさにINSEADのW・チャン・キム教授とレネ・モボルニュ教授が提唱した「公正なプロセス」そのものだ[※9]。

両教授によれば、意思決定が公正とみなされるためには、決定内容を実行する立場の人々が、自分たちの意見を求められ、理解され、尊重されていると感じる必要がある。また、話し合いは率直かつ客観的であるべきで、その後になされる意思決定の論拠も私利私欲のない明快なものでなければならない（たとえ自らの提案が却下されても、である）。日産では、自社の企業文化の公正さを評価するため、実質的に次の3つの概念（キム教授とモボルニュ教授が「3E」と呼ぶ概念）を導入している。

●**現場の関与（Engagement）**　どのような意思決定であれ、それによって影響を受ける人々にも参加してもらわなければならない。彼らの見方や意見は積極的に求められ、ほかの関係者の考えや前提に異を唱える権利も保証されるべきである。

●**説明（Explanation）**　そのプロセスにかかわる全員が、最終的な決定がなされた論拠を完全に理解できなければならない。言い換えれば、結果がどのようなものであれ、そこにいたるプロセスの正当さは認めてもらう必要がある。

●**期待内容の明示（Expectation）**　意思決定の内容を実行する立場にいる人々が、自分たちが評価される基準をあらかじめ明確に理解していなければならない。

この場合の公正さとは、誰もが対等な立場で参加していると全員が思えることを指す。

こうした4つの事例から、どんなことが学べただろうか？　願わくは、ロールズ式の議論を実践することがいかに難しく、合意までの道のりがいかに険しくても、組織が新たな段階――公平さと配分的正義（哲学用語で、ある共同体の利益と負担は、その共同体の各構成員の業績や能力に比例して配分されるべきだとする）のふたつの美徳を備えた組織――に移行するために役立ててもらえれば光栄だ。

## 危険な癒着

「自分の人生に責任を負う」という仕事を「外注」しようとする人は多い。というのも、相手のほうが自分の人生をうまく管理してくれるだろうというおめでたい思い込みがあるからだ。そんなはずはない、とうすうす気づいていても、自分の幸福を他人が第一に考えてくれることを期待する。

人は、誰かに面倒を見てもらいたいという気持ちが心のどこかにある。そのため、自分を含めた他者に「奉仕する」と自称する人物をつい信頼してしまう。相手を「リーダー」と呼び、自分の利害を自分より適切に理解してくれると信じ込む。そうすれば負うべき責任から解放してもらえるかもしれないと願いながら。だがその責任は、あなたに与えられた「権利」でもある。自らの理性と意思の光に導かれ、自分なりの人生を送る権利なのである。

また、リーダーもそうしたニーズに応えてしまいがちだ。問いの答えを与え、ルールを定め、意思決定を行い、ご褒美や罰を与えてやる。すべてはリーダー自身の判断にもとづいて行われる。それによって、リーダーは自分の地位と高い給料も正当化できる。要するに、リーダーの立場にある人は部下をコントロールできることに喜びを感じ、部下の立場にある人は責任を負わずに済むことを喜ぶ。

この癒着は伝染する。マネジャーの数も管理の階層も増える一方だ。たとえばイギリスでは、20世紀の間に管理職の数が約7倍になった。また今日の中国の軍隊は、3分の1が士官、別の3分の1が下士官で構成されている。おそらく近い将来には、こうしたボスやリーダーに仕える部下が足りなくなり、業務や任務の遂行に支障をきたすだろう。

だが、そもそもなぜ組織は管理してもらわなければならない人物を雇うのだろう？　自尊心のあるリーダーが、なぜ導いてもらう必要がある人物をメンバーに加えるのだろう？　なぜ自分の責任を自分で負おうとしない人の責任をわざわざ負ってやるのだろう？

このあとの4つの章では、こうした状況に挑戦状を突きつける。まだ紹介していない哲学者たちの意見も聞きながら、あらためて考えてみよう。「率いる」とはどういう意味か。「ともに創造する」「学び、変容させる」「責任を負う」とはどういう意味なのか。「お手本になる」とはどういう意味なのか。同時に、現代の職場における3つのキーワード、「エンパワーメント」「コミュニケーション」「エンゲージメント」についても掘り下げてみよう。

## あなたへの質問

1. あなたは自分の職場を「公平」と思うだろうか。あなたの職場は「無知のベール」の思考実験を提唱したロールズのお眼鏡にかないそうだろうか?

2. 1の答えが「いいえ」の場合、人々に対する姿勢や組織のデザインに関して、どんな点が公正な組織としての基準を満たしていないのだろう?

3. あなたは社内の人々にリーダーシップの「お手本」とみなしてもらえるだろうか。「見習いたい」と思ってもらえそうなのはあなたのどんな部分だろう?

# 第6章 権限という贈り物

この章では、17世紀の哲学者トマス・ホッブズと18世紀の哲学者イマヌエル・カントに協力してもらい、組織における「権限」について考えたい。ホッブズもカントも、個人のニーズと集団の使命、すなわち自己実現したいという「個人の欲求」と「コミュニティの需要」を両立させるという意味では、私たちと同じく「不可能」に挑戦していた。

今回紹介するアプローチでは、権限を「権利」ではなく、ほかの人々からの「贈り物」とみなし、そうした人々のために活用されるべきと考える。この見方の中心には、エンパワーメントの概念がある。ただし、現代におけるエンパワーメントへのアプローチは根本的に間違っている。そのリーダーがいかに善意にあふれていても例外ではない。ここでは自分に与えられた権限を行使することの意味を振り返りながら、真のエンパワーメントを可能にする方法を探りたい。

## 「逆エンパワーメント」状態だと伝えてくれ！

数カ月前、あるヨーロッパ企業に招かれて、同社の「多様化推進デー」の基調講演とワークショップを行った。ワークショップには、中間管理職も一般のスタッフもおおぜい参加し、みな積極的に発言してくれた。セッション後も残って話しにきてくれた熱心な参加者も何人かいた。彼らからのメッセージはシンプルだった。

「上層部にこう伝えてください。私たちは、すっかりのけ者にされ、いつも自分が無力だと感じています。制度や規則にがちがちに縛られて、意思決定をする権限も自由もない〝逆エンパワーメント〟状態なんです」

じつは私たちはその晩、同社の経営陣に会ってワークショップの報告をすることになっていた。そこで参加者との約束を果たそうと、彼らからのメッセージを伝えた。

「従業員のみなさんは、すっかりのけ者にされ、自分を無力だと感じているそうです。〝逆エンパワーメント〟状態だとおっしゃっていました」

経営陣は、思いがけない報告にひどくショックを受けたようだった。それでも当初の動揺が収まるにつれ、もともと誠実で責任感ある彼らは、問題を解決することに目を向け始めた。

「誰でも参加できて、私たちに何でも言えるような朝食ミーティングを開こう」「スタッフが気軽に提案できるシステムをつくろう」「業務執行会議にスタッフの代表者も招待しよう」

「エンパワーメント研修を導入しよう」といった提案が次々となされた。

## 一件落着？

エンパワーメントが十分でないと批判されたとき、経営陣がこのような対応をするケースは珍しくない。だが、この章ではあえてこう質問したい。「こうした上層部の善意は、本当に『エンパワーメント』につながるだろうか？」私たちの経験では、答えは「いいえ」である。

ケンブリッジ英英辞典では「エンパワーメント（empowerment）」を「自分がしたいことをする自由や力を獲得するプロセス。または、自分に起きる出来事をコントロールする自由や力を獲得するプロセス（the process of gaining freedom and power to do what you want or to control what happens to you）」と定義している。

ここでのキーワードは「獲得」である。だが残念ながら、権限を**もった**人々は、「エンパワーメント」とは自分たちがほかの人々に恵んでやるものと考えている。また同じくらい残念なことに、権限を**もたない**人々も、「エンパワーメント」を誰かの許可なしには到達できない境地のようにみなしがちだ。その結果生じるのはエンパワーメントではない。依存状態である。「エンパワー」してもらおうとする人々は責任を負わずに済み、「エンパワー」してあげる人々は主導権を維持できる、一種の癒着関係だ。たしかにそれは、誰にとっても一番楽な道ではある。

「エンパワーメント」について考える際のキーワードは、じつは「提供」ではなく「獲得」だ。つまりリーダーは、人々が元からもつ自由や力を行使しやすくなるように手助けすべきなのだ。これこそがこの章のテーマである。あなたの権限をどう使えば、あなたの部下たちはもっと力を発揮できるだろう？

## そのために哲学から学べることは？

この章では、この問題について考えるにあたって、ふたりの哲学者の思想を紹介していく。ひとりはトマス・ホッブズ（1588～1679年）、もうひとりはイマヌエル・カント（1724～1804年）だ。まずはホッブズの思想を通して、「権限は上から下に委譲される」という通念に疑問を投げかける。独裁体制下でもないかぎり、権限とはむしろ「下から上に」ほかの人々の合意にもとづいて与えられるものであり、ほかの人々のために役立てなければならないものだ。またカントの思想を通しては、自分の権限をほかの人々のために役立てるとはどういうことかを考えたい。

現代のマネジメント慣行は多分に道具主義的で、他人を「目的を達成するための手段」とみなしがちだ。カントの思想はこうした傾向を軌道修正し、相手を目的そのものとみなして行動するきっかけを与えてくれる。

ホッブズは17世紀のイギリスを生き、カントは18世紀のドイツを生きた。しかし、人間の精神についての彼らの知見は、21世紀になってもなお、私たちに多くのことを教えてくれる。もちろん今日のビジネスパーソンには、ほかにも考えるべきことは山ほどある。さまざまなＫＰＩ（重要業績評価指標）、絶対にものにしたい報奨金、同僚という名のライバル、異国の祝祭日。それでも、あらゆることに意味を見出し、自己実現したいという人間の基本的な欲求は、たとえ３０００年前でもいまと変わらない。また「権限をどう配分するか」「正当な権限とはどのようなものか」という問いも、昔もいまも同じくらい重要だ。

## よかれと思って……

冒頭の話に戻ろう。前出の経営陣は、社員たちが「逆エンパワーメント」状態にあると知り、問題に誠実に対処しようとしていた。彼らがさまざまな提案をし、社内に「エンパワーメント」の花を咲かせようとしているところまで話した。

提案されたアイデアは、すべて一見有効そうではあった。だが個別にじっくり検討するとすべて、その意図に反する前提にもとづいていた。たとえば「社員からの提案システム」でいえば、もし何かするために格上の人物にいちいち提案しなければならないなら、「お前には決める権限がない」ということになる。なぜなら、決めるには、まずは誰かの許可が必要だからだ。

また上層部に自分の意見を伝えたければ朝食ミーティングに招待される必要があるなら、「朝食ミーティングに招かれないかぎり、こちらに話しかける権利はお前にない」と述べているに等しい。さらにいえば、もし誰かに意思決定してもらうために代表者を送り込む必要があるなら「お前たちには判断する資格はない」という意味になる。

「エンパワーメント」研修も同様だ。そんな研修を受けることに社員がもし同意したとすれば、その社員自身が「エンパワーメントとは心の状態であり、訓練可能な技術ではない」という考えを否定していることになる。こうして癒着は続いていく。

提案システム、代表制、朝食ミーティング、研修といった、「エンパワーメント」に向けた取り組みは、残念ながらある前提のために骨抜きにされている。その前提とは、①権限は序列にもとづくもので、②「エンパワーメント」とは、上の地位にいる人々が意思決定の際、下々の意見をとりあえず聞いてやる(「参考にする」)ことを指す、というものだ。そんなものはエンパワーメントではない。許可を与え、従属関係を強めているにすぎない。

## 上下逆さまにしてみる

ここで試しに、提案された内容の上下を逆さまにしてみよう。

たとえば、こんなイニシアティブを立ち上げてはどうだろうか。名づけて「とにかく、したほうがいいと思えることをやろう。私には事前か事後に報告してくれればいい。アドバイスしたくなったら、そうするから」。あまり語呂のいい名称でないことは認める。だがもし実施して、自分が最優先すべきと考える仕事に各自が取り組める手段とわかれば、間違いなくエンパワーメントを促進するはずだ。たとえ規制の厳しい業界でも、意欲ある人々にのびのびと活動してもらうのは意外と難しくない。

たとえば、私たちのクライアントの世界的な大手製薬会社では、予算管理に関する従来のしくみをすべて撤廃し、各国のトップに「とにかく高い目標をかかげて、結果を報告してくれればいい」と指示するアプローチを検討しているそうだ。

採用基準に組み込んでもいいかもしれない。上司やほかの部署の人が相手でも、その相手がさらにいい仕事をするために知るべきことを伝えるのは自分の義務だと考える人を採用できるようにするのだ。すでに採用しているスタッフも例外ではない。相手が知るべきとあなたが思うことがあれば、きちんと伝えることがわが社では期待されている、と明確に打ち出してはどうだろう？　誰もが堂々と声を上げるべきだ。組織に必要なのは、そうした信念をもってコミュニティに貢献する人々なのだから。

ここで、私たちが数年前に仕事をする機会があったある大手保険会社の事例を紹介しよう。同社が発売したある保険商品は、夢のような大ヒットとなった。加入申込書が殺到し、処理を担当する部署はてんてこまいだった。会社は臨時スタッフを雇い入れ、需要に対応しようとした。

だがそれは、経験の少ないスタッフが申込書の処理を担当することも意味した。当然ミスは増え、申込から受付完了までの所要時間（リードタイム）も長くなる……。そうした状況が業界誌にかぎつけられ、好調な売上に影が落ち始めたころのこと。ある土曜日の早朝、申込書処理部門の現場責任者が、（申込書の洪水に膝まで浸かりながら）ＣＥＯに電話をかけ、朝食の真っ最中だった相手に言い放った。「いますぐここに来てください！」

自社のＣＥＯに対してやや乱暴なようにも思えるが、必要なことだった。ＣＥＯは言われた通り現場に急行し、目の前に広がる惨状に呆然とした。加入申込書は高々と積まれたまま。その置き場も間に合わせだ。電話は鳴りっぱなしで誰も出ない。主任たちはといえば、「次は何をすればいいでしょう？」と新米スタッフから質問攻めに遭い、頭をかきむしりながら奮闘している。

月曜の朝、ＣＥＯは問題の保険商品のバリューチェーンに関係する全部署に召集をかけた。営業部、広報部、苦情処理部門、申込書処理部門などがすぐさま集結し、その日の終わりには、今回の非常事態への対策と、その商品をスムーズに提供していくための長期的な取り組みの概略ができあがっていた。こうした快挙が可能となったのは、そもそも申込書処理部門の現場責任者が勇気ある行動をし、さらにCEOが自分の権限を使って、能力も意欲もある社員がともに問題を解決していける環境を生み出したからこそだ。

もしほかのリーダーたちが、このCEOと同じように行動したら？　つまり、「自分はほかの管理職やスタッフよりも偉いわけではない。みんなの代表者兼〝障害除去係〟だ」と考えたとしたら？　業務運営について検討するときも、幹部会議での議論や根回しに夢中になるのではなく、現場のポジションを実際に担当し、状況をじかに把握しようと努めたら？　規則、リソースの配分、物理的な環境――なんでもいい。あなたが携わっている分野で、誰かの業務を妨げているものはないだろうか？

リーダーには、こうしたことを変える権限も責任もある。もしリーダーたちが自分の権限を、さまざまな困難を軽減・解消するために役立てたら？　あるいは「エンパワー」された人々が活躍できる環境をつくり出したら？　そういうアプローチこそが、第5章で紹介したマックス・ペルーツが選んだリーダーシップのあり方なのだ。

くどいようだが、私たちの提案するパラダイムシフトをもう一度説明させてほしい。現在、一般的に行われている「エンパワーメント」戦略では、人々が「エンパワー」されるためには誰かの許可が必要だと考える。経営幹部が社員たちを褒めそやし、「もっと冒険しよう」

「もっと創造的になろう」「お客様にとって最善と思うことをしよう」と激励する場面は、もはや日常生活の一コマとなっている。もしそのやり方で効果がなければ、同じことを今度は命令または許可することになる。

しかしロンドン・ビジネススクールの戦略論・起業学の教授であるゲイリー・ハメルによれば、誰もが私生活では、求められる態度や行動をすでにとっている。つまり創造的で冒険心にあふれ、自分の信念にもとづいて行動している。人間はもともと創造的で、自分が重要と思うことに情熱を燃やし、新しい経験を積極的に求める。いわば「冒険」しようとするものだ。そのよい例が、休暇の過ごし方や食べものの選択、趣味の活動などだろう。

リーダーの役割は、創造性と情熱にあふれた冒険者たちが存分に活躍・成長できる環境をつくり出すとともに、彼らが世界に貢献し、その情熱を周りに伝染させていけるよう支援することなのだ。

もし従来の概念を逆さまにしたとすれば、序列の上位にいる人々は、ほかの人々に「エンパワーメント」を恵んでやろうなどと思いあがることなく、意欲あふれる人々が存分に活躍できる環境づくりに力を注ぐはずだ。

## 権限という贈り物

「リーダーの役割は、ほかの人々が活躍できる環境をつくること」という概念を理解し検討していくには、序列を新たな視点でとらえる必要がある。「上」の地位とは、自分の裁量で他人に何かを与えるような特権的な地位ではない。他人から授けられたものであり、それなりの義務も伴う。また、こうした見方をあなたが採用し、組織内で必要な調整をするには、あなた自身の権限についても見方を変えなければならない。

組織内での権限は、一人ひとりが果たす役割にもとづいている。「権限の委譲」とよく言われる。しかし、その見方では、最大の権限をもつのはヒエラルキーの頂点に君臨する人物であり、もっとも権限がないのはヒエラルキーの底辺に置かれた人々である。「権限の委譲」という概念を採用し、権限が（序列的に）下位の人々に譲られ、譲られた人々が具体的に誰かを明示している組織は多い。そうすれば、誰がどんな意思決定ができるかを関係者全員がきちんと把握できるからだ。だが何度も言うが、権限が上から下に委譲されるという考え方自体があべこべなのだ。

こうしたトップダウン型の権限委譲モデルの典型が、経費の裁量権だ。これは要するに、自分の判断で使える経費がいくらまでかということで、もっとも多額の経費を使えるのは通常、その企業のＣＥＯである。このときＣＥＯは、自分の下にいる人々に権限を委譲し、そのいくらか（ただし自分よりも少ない額）を相手が自己裁量で使えるようにすることもできる。そうすると権限を委譲された人々は、そのまた下の人々に権限を委譲し、経費のいくらか（ただし自分よりも少ない額）を相手が自己裁量で使えるようにする……これを繰り返していけば、最終的には、自由に使える経費が1ペニーもないというレベルに行きつく。聞くところでは、「1ペニー」使うにも許可が要る（ダメだといわれる場合もある）組織が、冗談ではなくいくつも存在するという。

このトップダウン型の権限委譲モデルにひそむ「ヒエラルキーの下に行けば行くほど、自由に振る舞える度合いは低くなる」という前提は、上にいる人々は下の人々よりも「高度な」「影響度の高い」「重要な」意思決定をする資格があるとみなされていることを暗示している。このアプローチのばかばかしさは、救急医療を例に考えれば一目瞭然になる。

救急車で病院に搬送される患者をサポートする救急隊員たちは、ときには生死にかかわる意思決定をせざるをえない。しかし救急隊員という職種は、医療従事者のヒエラルキーにおいては必ずしも最上位に君臨しているわけではない（救急隊員は「コ・メディカル（準医療従事者）」と呼ばれて医者や看護師と区別されることが多く、その位置づけについては近年議論されている）。

もちろん、たいていの組織では、比較的低い地位にあるスタッフが行う意思決定は人の生死にかかわるものではないかもしれない。だが顧客価値の創造という点では、重役室でなされる意思決定よりもはるかに重要な影響をおよぼす可能性もある。

先ほどの経費裁量権の例に戻ると、誰がもっとも多額の経費について意思決定できるかという問いの答えは、地位の上下にもとづいてではなく、組織と組織の目標達成のために誰が適切な判断がくだせる立場にいるかをもとに考えられるべきなのだ。なお、このときの立場とは、その人の序列上の地位や学歴ではなく、知識や経験、状況の理解度、ポジティブな変化を生み出せる行動力などを指している。

明確に定められた権限系統にもとづき、「権限委譲」のフォーマットを活用しながら組織内の活動を調整・コントロールしようとするといった試みは、たいていうまく機能しない。そんなことはそもそも不可能なのだから。人生において確実なことは税金と死しかないとよく言われるが、じつはもうひとつある。「環境に適応できなければ不要な存在になる」ということだ。

いまは亡き企業が眠る「企業の墓場」には、かつては偉大だったが適応できなかった企業があふれている。そうした企業はみな、慣れ親しんだプロセスや手続き、慣習に従っていれば生き残れると信じ込んでいた。これを今回のコンテキストに当てはめれば、規則の設定、統制、計画策定といった観点でものを考える傾向から遠ざかるべきだ、という教えが引き出せる。

世界は複雑で、あまりにも多くの創造的破壊《ディスラプション》や想定外の展開、機会と脅威、新たな経験に満ちている。つまり、どんな変化にも対応できる権限委譲のアプローチなどありえない。万一、そうしたアプローチがあると思い込み、それを採用して組織体制を構築しようとすれば、組織の順応性を低め、先の見えない現代にあわないものにしてしまうだけだ。

順応性を向上させたければ、何が起きるかをコントロールしてはいけない。むしろ、何かが起きたときに臨機応変に工夫すべきだろう。重要なのは人々に責任を負わせることではなく、その時々にあわせて対処できるようにすることなのだ。

私たちは2年ほど前から、世界各地の100以上の組織を対象に、周囲のパフォーマンスによい影響をおよぼす行動傾向を知るための調査を行ってきた。調査結果は明白だった。他人に命令して支配しようとするヒエラルキー型の振る舞いは、ほかの人々が活躍できる機会をうばうことになる。一方、好奇心にあふれた実験・探求型の振る舞いは、ほかの人々が活躍できる機会を生み出す。

従来型の権限委譲のアプローチは、体制の硬直化（順応性の欠如）をもたらしがちだ。その状況を打開するために使われる定番の手法は、別の権限モデルが使えないかと考えてみることだ。ヒエラルキーやマトリクスの見直し、能力主義やホラクラシー（上下関係のないフラットな組織形態）の導入といった代替の組織モデルや企業体質に関する議論が昨今さかんなのもその表れだろう。

ただし問題はその後の対処で、こうしたプロセス改変や構造改革を実施することを、まるでタイタニック号の船上でデッキチェアの配置変えをするようにみなしがちだ。どんな組織モデルや企業文化を採用・定着させるのであれ、次のような根本的な問いからは逃れられない。「何が正しいのか？」「自分にはどんな権限があるのか？」「その権限はどのように得たのか？」「その権限を誰のために役立てているのか？」「どうすれば有益に使えるのか？」と誰もが自問自答する必要がある。これらは哲学的な問いだ。経済学や心理学では答えは見つからない。さらにいえば、組織の構造やプロセス上の課題とみなすべきでもない。

## 哲学的な問い

権限の行使、つまり規則の強制や法律の制定は、古くから哲学者や神学者の主要なテーマだった。そこでとくに重視されたのは「ある社会やコミュニティにおいて、人々が互いを尊重し、有益で生産的な協力関係を築くには、どんな権限がどれくらい行使されるべきか？」という問題だった。さまざまな解決策が提案され、実際に採用されたものもあった。そうした解決策は、宗教的なものもあれば、政治的なもの（民主的なものも独裁的なものも含む）

や哲学的なものもあった。

しかし共通していたのは、なんらかの権限の存在を認め、その権限は、個人がもつ権利（自分のプライバシーを守る権利や、自分にとっての〈最善〉を判断する権利、正当に入手した資産を「所有」する権利など）に優先されるとみなしていたことだった。

どんな場合でも同じだが、自由で平等な立場にある、自己管理能力を備えた人々から「上位の権限をもつ存在」として自発的に受け入れてもらうには、その権限を公正に行使するはずだと信頼される必要がある。言い換えれば、そのコミュニティの価値体系において道徳的に正しく公平とみなされる必要がある。何が道徳的に正しくて公平かという問いは、科学というより哲学の領域に属する。

この後のセクションでは「権限を公正に行使するとはどういうことか」、つまり道徳的に正しいとされる公平な権限の行使という問題に関して、ホッブズやカントの思想が現代におよぼしている影響について考える。そのうえで、職務上の権限にもとづいて自分の力を他者のために公正に役立てる方法について、私たちの意見を共有したい。

言うまでもないが、自らの権限を不当に行使することは誰にでもできる（少なくとも、それだけ大きな権限があればだ）。だがそれは権限の適切な活用法ではない。もし一定の範囲を超えるようなら、権限の行使に見せかけた、弱いものいじめでしかない。

権限は地位に伴う権利ではない。他者からの贈り物であり、他者の代理として用いるべきなのだ。周囲からの「許可」なく用いるようなら、それは権限の行使ではなく、権力の不当な行使、つまり弱いものいじめでしかない。

## トマス・ホッブズ——人間は生まれながらに平等

イギリスの哲学者トマス・ホッブズは、民主主義の基本原理と一般的にみなされる社会契約説の礎を築いた人物とされている。社会契約とは、社会や組織、コミュニティの構成員の間で結ばれる一種の合意で、その合意によって特定の個人がなんらかの権限を授けられる。そうした権限は、その社会やコミュニティ、あるいは「コモンウェルス（国家）」とホッブズが呼ぶ集団において、メンバーたちが生産的な協力関係を保つための調整役として提供されたものだ。また、こうした機能を果たすことが、その社会やコミュニティ、国家およびそのリーダーの使命でもある。

ホッブズの時代のイギリスは、王と議会の対立がきわめて深刻になったことで知られる。イングランド内戦（1642～1651年）では、国王（チャールズ1世・2世）と議会が権力をめぐって戦った。その結果もたらされたのは、権力構造の容赦なき変化の幕開けといえる、国王の統治から議会政治への移行だった。

ホッブズが主著『リヴァイアサン』[※1]で打ち出した社会契約説の中心には、「すべての人間は生まれつき平等であり、誰もが同じように自分の人生をつかさどる権利をもっている」という考え方があった。ホッブズがこの文章を執筆したのが17世紀半ばだったことを考えれば、彼は比較的新しい思想の持ち主だったように思える。

とはいえ、そんな彼でさえ（ほとんどの人と同じく）時代の影響からはまぬがれられなかった。イングランド内戦時、彼は議会派というよりも王党派に近く、１６４０年から１６５１年までフランスに亡命している。亡命先のフランスでは、同じく亡命していた皇太子（プリンス・オブ・ウェールズ）の家庭教師を務めた。この皇太子こそが、のちの国王チャールズ2世である。

「すべての人間は生まれつき平等だ」とホッブズは主張した。だがいったん権力闘争が起き、当事者間で穏便に和解できそうにないと判断したときには（たしかに、そう考えるべき根拠は十分すぎるほどあった）、国王による統治を支持したのだ。

自らの自然権を行使したために、他人の自然権を制限してしまうケースはいくらでもある。比較的大きな権力をもつ人々、つまり自由になるリソースが比較的多い人は、リソースが比較的限られた人よりも条件のいい暮らしを確保しようする。ホッブズは、この権力をめぐる無制限の闘いを「万人の万人に対する闘い」と呼んだ。ホッブズにとって、万人に対する闘いを始めることは、実質上の自殺行為、つまり神に対する冒瀆だった。

ホッブズの意見では、人々を苦しめるこの権力闘争から脱出する道はひとつしかなかった。それは、「正当な権力（権限）とは、他者の合意にもとづき、他者を代表するものであるべきだ」という彼の考え方をすべての人が受け入れることだ。この主張は、当時の大部分の人に受け入れられ、今日でもそれは変わらない。

ただし、彼はそう主張しながらも、民主主義こそがほかの人々に対する正当な権限の理想的なかたちだと結論づけるにはいたらなかった。代わりにホッブズは、その権限をもつべき統治者がいるはずだという考えに落ち着いた。至高の権威、または最高主権者だけが、必要に応じて特定の権限を行使することを許され、その権限は一人ひとりがもつ自己支配権よりも優先されてよいと感じていた。こうした考え方は現代人には違和感があるかもしれないが、それまで何百年間も君主制が続いていた当時の時代背景を考えれば、あながち不思議でもない。

おそらく現代に生きる私たちは、「絶対的な権力をもつ支配者に依存する」という概念にそこまで好意的になれないだろうが、ホッブズに感謝すべきことは少なくない。たとえばホッブズは「人は生まれながらに平等で、自分自身に関する権利をもっている」という概念を支持し、それが普及するきっかけをつくった。その結果、この説得力ある概念は、アメリカ建国の父たちが合衆国憲法を起草する際の重要なヒントとなっただけではなく、今日の世界でも広く受け入れられることとなった（程度の差はあるが）。そのため私たちリーダーも、この状況をふまえて行動する義務がある。
リーダーがリーダーになるためには、まずは自分に従うことを他者に選択してもらわなければならない。従う理由は人それぞれだ。お手本にしたいのかもしれないし、ビジョンに共鳴したのかもしれない。勇気をもらえそうとか、庇護が期待できそうとか思ったのかもしれない。もちろん権限があれば、力で服従させることもできる。
だが本当の意味で相手が従うのは、自ら選択したときだけだ。また、意欲も能力もある人は、ひたすら命令に服従するだけの場所にとどまりはしない。誰もが知っているように、部下が見切りをつけるのは、組織ではなく自分の上司だ。逆に、これぞと思う上司がいれば、その人を追って新しい組織に移る場合さえある。

命令に盲従する人が多い組織では、リーダーシップの欠如が目立つ。一方、自発的に従う人が多い組織には、リーダーシップがすみずみにまで行き渡っている。

権力・権限・コミュニティの関係についてのホッブズの意見は、公正なリーダーシップについて考える際の揺るぎない基盤になる。

1. 人間は生まれつき平等である。

2. 各人がもつ権限は、貸し与えられたものである。
3. そうした権限によって生じる力は、ほかの人々のために公正に使われるべきである。
4. もしうまく使えないようなら、その力は没収されるべきだ。

これらはどれも明快で、反論することは難しい。とはいえホッブズは、4の原則を含めるほど進歩的ではなかったかもしれない。彼は国家（コモンウェルス）がいったん成立したら、「ある君主に従っている臣民は、その君主の許しなく君主制をくつがえし、烏合の衆さながらの混乱状態に立ち戻るわけにはいかない」と考えていた。それでも、人々の支持を失った統治者には悲惨な運命が待ち受けかねないことは、歴史上の多くの統治者がその身をもって学んでいる。つまり事実上、4の原則はそのリーダーが統治者である場合ですら当てはまる。

あなたは、自分の態度や意図、判断、行動を「公正なリーダーにふさわしいか」という観点から検討しているだろうか？

社会契約の原則は、今日の組織内や組織間での協力・提携の枠組みとなる契約（雇用契約や提携協定、購買契約など）の多くの前提となっている。こうした契約は、専横的な力の行使を制限すると同時に、一定の条件に従うことを人々に義務づけている。ただし契約だけでは他人を思い通りに動かすことなどできず、偉大なリーダーも生まれない。また、意欲も能力もある人が活躍できるようにすることも不可能だ。

## イマヌエル・カント——人間には義務がある

契約とは権限の一種で、あらゆる権限と同じく善用も悪用もできる。そうなると、「契約」の悪用（または、絶大な権力をもつ統治者や性格の悪い上司、わがままな同僚の気まぐれ）によって自分の運命が左右されないように、別の意見も採り入れてホッブズの理論を発展させておくほうが安全だろう。

そこで今度は、ドイツの哲学者イマヌエル・カントの思想に耳を傾け、正当な権限がどこから生じるのかを考えたい。それは統治者としての地位から生じるわけではないし、超自然的な存在（または現世でのその代理人）にもとづくわけでもない。カントにとって、正当な権限は「人間であること」に根づくものだった。そしてその前提には、人間らしい人間は社会において協力し合い、争いを平和的に解決しようとするだろうし、自分が自分に対しても つ権限であっても、特定の分野に関してはもっと大きな「善」のために委譲できるはずだという考えがあった。

カントが生まれたのはホッブズよりも150年ほど後で、社会や宗教、政治がかつてないほど大きく変化した時代だった。その変化の結果、これまで数百年間にわたって農村やコミュニティでの暮らしのなかで培われた人々の「常識」――たとえば、ある社会における自分の立ち位置はどこかという感覚や、その立ち位置はおそらく一生変わらないという概念――が根底から揺るがされることになった。

遅くとも1750年代には、新興勢力である中産階級、いわば「もっといい暮らしがしたい」「もっと学びたい」と願う人々が台頭し、既存の権威や概念をおおっぴらに疑問視するようになっていた。そうした世相をもたらした一因は、印刷物が普及し、新しい知識や概念を求める人々が増えたことだ。ドイツ国内で発行された書籍は、18世紀の最初の50年間では合計7万8000冊だったが、次の50年間には50パーセント増加して合計11万6000冊になった。国民ひとり当たりの書籍発行数でも、ドイツはヨーロッパでトップレベルだった(ドイツよりも多かった国は、立憲君主制への道をすでに順調に歩みはじめていたイギリスだけだ)。もはや国王や女王、聖職者といった「至高の権威」であっても、その地位にあぐらをかいていられる時代ではなくなった。

「権限の公正な行使とは?」という問いに対し、カントは著書『道徳形而上学の基礎づけ』[※2]で定言命法という倫理原則を提案した。

定言命法には、カントが「定式」とみなすものがいくつか含まれている。そのうち3つの定式は、私たちが権限の正当な行使や身近な物事について考えるときの参考になる。オリジナルの表現はやや難解だが、ごく簡単にいえば次のようになる。

1. 他者に行動指針にしてほしい原則があれば、その原則を自分にも適用すべきだ（普遍化可能性の定式）。

2. 他者を目的達成の単なる手段とみなすのではなく、目的そのものと常にみなすべきだ（人間性の定式）。

3. もし誰もが協力し合う社会を望むのであれば、すべての人が目的そのものとして扱われる社会に自分は暮らしているのだと考え、そのルールに従って行動する必要がある（目的の王国の定式）。

現代の組織社会では、人を「人的資源」、つまり経済学でいう「生産要素（土地、労働、資本を含めた財とサービスの生産に用いられる資源）」とみなし、お互いを目的達成の手段として扱うことが珍しくない。だが組織を一歩出れば、人間こそが社会の中心であり、政府は自分たち国民（または市民）が健全で豊かな生活を送れるように支援するためにあると人々は考える。少なくとも、それが民主主義の基本概念で、いわゆる「慈悲深き独裁制」のマントラでもある。

人間を目的そのものとして扱うべきだとするカントの思想は、私たちが最近、ヨーロッパ系の銀行の取締役会メンバー向けに行った戦略ワークショップでも注目されていた。ディスカッションのなかで、戦略を効果的に実施するうえでの企業文化の役割が話題にのぼったときだった。早くもその段階で、財務部のトップが「人々は目的達成の単なる手段として扱われている」と訴え、人事部は「にんげん部」と名称変更すべきだと提案したのである。その名称変更がどれだけ効果的かはまた別の問題として、こうした意見は、自分たちのお互いに対する見方が「人間らしく生きる」という概念にそぐわないのでは、という認識や危機感が組織内で高まっていることを端的に示している。その2週間後、別の世界的大銀行の経営幹部を対象に開いたワークショップでも、最高責任者からの次のような問いかけにもとづいてディスカッションを行った。「この組織を人間らしくするためには、どうすればいいでしょう?」

カントと彼の定言命法の話に戻ろう。カントは、道徳的な振る舞いとは何かを考える基準となる普遍的原則を見つけだし、誰もがいきいきと輝き、他人とも協力し合えるようにしようとしていた。こうしたカントの志を、組織や社会も見習うべきだろう。

またカントが、公正な振る舞いが「合理的」な行動だと証明しようとした点にも注目したい。合理的な行動とは、要するに、すべての人は「感情をもち、思考する存在」だと考えたとき、誰もが一様に「正しい」とみなす行動のことだ。カントは、すべての人は平等であると同時に自発的な意思をもち、共同生活を有意義に送るためにみなで決めたルールに従う分別があると考えていた。

どことなくホッブズの思想に似ていないだろうか？　さらにカントは、この「自発的な意思」こそが人間の行動をつかさどるものであり、人々が身勝手な欲望や衝動のしもべにならないようにしている、と述べる。つまり、誰もが「何が正しいのか」「自分たちがすべきことは何か」といった観点にもとづいて行動できるということだ。激情や身勝手な欲望に振り回されるのではなく、合理的な人間として理性にもとづいて行動するのである。カントはまた、理性的な人間には、ほかの人々が理性にもとづいて暮らせるように支援する義務もあると主張した。ちなみに、人々が私利私欲に走った結果として生じる「見えざる手」にもとづく経済モデルを提唱し、資本主義の「建国の父」のようにみなされているアダム・スミス[※3]でさえ、「人間にはより大きな善のために私利私欲を抑える傾向がある」と考えていた（「なぜわれわれの行動原理は、これほど寛大で高貴なのだろう？」）。

カントの自発的な意思（「意思の自律」）の理論は、ホッブズの「すべての人間は生まれながらに平等であり、自らをつかさどる権利を備えている」という思想を彷彿とさせる。カントが追加した重要な概念は、人間には、何が正しいのかを判断する感覚（あるいは推測する能力）が本能的に備わっていて、自分の権利を行使する場合にも、その正しいことのほうが衝動的な欲求より重要だと自覚できるということだ。

## 定言命法とリーダーシップ

結局、カントの定言命法の定式は、企業や組織、リーダーシップとどんな関係があるのだろうか。ここまでの内容をまとめてみよう。

1. **普遍化可能性の定式**では、人間は他人に対して、自分ならいやだと感じる振る舞いはせず、自分にしてほしい振る舞いをする義務があるとしている。[※4]

2. **人間性の定式**では、他人を単なる目的達成の手段としてではなく、目的そのものとして扱う義務があるとしている。誰にもその人なりの正当な目標があり、それを実現しようとする権利もあると考えるべきなのだ。よって人々とかかわる際にも、自分が目標を達成するために相手がどれだけ役立つかを基準に態度を変えてはならない。むしろ相手の目的を尊重し、その気持ちを自分の態度に反映させるべきである。

3. **「目的の王国」の定式**では、人間は、自分たちが定めたルールに従う義務があるとしている。つまり、誰もが法を制定する「国王」であると同時に、制定された法令に従う「国民」でもある。この定式は、先のふたつの定式（1と2）から導かれている。「普遍化可能性」の原則にもとづいてルールを定め、人々を目的そのものとして扱うとすれば、自分たちが定めるルールは自分にも他人にも同じように当てはまるはずだからだ。

**4.** 要するにカントの定言命法は、リーダーシップのあり方を変容させるための指針を3つ提供している。

a．自分ならこうしてほしいと思うように他人に接する。

b．他人の目的を尊重し、相手に接する際にはその敬意を忘れない。

c．自分たちで定めたルールを、自分にも他人にも同じように適用する。

カントの「目的の王国」（定言命法がもたらす影響を考えるため、カントが考案した架空の国）では、誰もが本質的に「国王」であり、同時に「国民」でもある。人々が守るべき法を定めるという点では「国王」だが、その法を守る義務を負うという点では「国民」なのだ。また私たちは、特定の物事に関しては、自分自身に対する権利を所属する「王国」に実質上ゆだねている。これは具体的には、特定の権限を自国の政府機関に委譲し、その機関で働く人々と提携関係を結ぶことで行われている。

もちろんそれでも、自分に対して誰かが権限をもつなどということは、その「誰か」がどんな存在であっても受け入れる義務はない、と主張することはできる。しかし現実には、誰もが多少なりとも受け入れている。そうしたことはカントの架空の国だけではなく、企業やその他の組織、コミュニティ、国家といった実際の世界で常に起きているのだ。

特定の人物を任命し、その人がほかのメンバー全員に権限を行使できるようにする、ということは日常的に行われている。だが忘れるべきではないのは、それを受け入れるのは、権限が公正に行使されるという前提があってこそだということだ。もし公正に行使されないようなら、それは一種の詐欺として批判されるべきで、機会があり次第、その権限は取り上げられるはずだ。

文明社会、あるいは権限の委譲がなされたなんらかの組織において、私たちに権限をふるえる人物は、私たち自身が権限を委譲することに同意した相手でなくてはならない（たとえば、警察官や裁判官、役人、上司、または財務部長、管理責任者、監査チームなど）。その代わり、相手には、共同で定めたルールに人々が同意して従うかぎり、その人たちがいきいきと輝ける社会や企業、組織をつくり出す責任がある。

会社員の場合、上司を選ぶなど夢の夢に思えるかもしれない。上司を排除することや権限の委譲を取りやめることも不可能に見えるだろう。しかし、じつはそうしたことは可能だ。現代の組織には、倫理的に（あるいは能力的に）問題がある上司から権限を取り上げたり、マイナスな部分を修正したりする手段が豊富に用意されている。たとえば360度フィードバックを活用すれば、知らず知らずのうちに「悪い上司」になっている相手が「よい上司」になれるように努力する手助けができる。

またコーポレート・ガバナンス（企業統治）の目的は、業務運営が合法的かつ倫理的な方法でなされるようにすることだ。人事関連の相談窓口も権限の濫用から社員を守る役割を果たしているし、団体交渉はリソースの配分をさらに公平にする手段として機能している。これらのメカニズムが現在のかたちになったのは、下から上に委譲された権限の受け取り手たちが、その権限をほかの人々のために公正に使おうと努力してきた結果なのである。

権限とは、下から上に委譲されるものだ。上から下にではない。もしあなたが運よくリーダーの地位にあるなら、このことを肝に銘じておくほうが賢明だろう。

もちろん、こうしたメカニズムが機能するためには、その権限が行使される対象となる人々が、必要なときには立ち上がって、権限の濫用や能力不足、不道徳な行為を糾弾する必要がある。その点については、第10章で詳しく取り上げる。

## CEOは最高倫理責任者

現代の組織でも、時計の針が逆戻りして封建制に引き戻されつつあるような気がするときがある。封建社会の権力者たちは、義務や奉仕の精神というより当然の権利という感覚で自分の権限を行使していた。しかし、権限はほかの人々から与えられたものであり、果たすべき責任を伴っている。リーダーの基本的な役割のひとつは、人々がいきいきと輝ける環境をつくりあげ、その環境を維持することだ。CEOをはじめとする経営幹部やその他のリーダーは、自分たちを「最高経営責任者」などではなく「最高倫理責任者」だと考えるべきだろう。

この章の前半で、序列上の地位と経費裁量権の関係について取り上げた。私たちが提案する組織モデルでは、最適な人物——その目標を実現する責任を負い、そのために必要な知識もある人物——の判断や見識にもとづいてリソースが使われるように最高倫理責任者が常に目配りすることになる。では、なぜ最高経営責任者ではいけないのだろう？　彼らは業績を向上させなければならないというプレッシャーを抱えているため、逆に自分の許可なしには経費を1ペニーも使えないような体制をつくろうとしがちだからだ。この傾向は、株主やほかの投資家に約束した利益率を達成できない恐れがあればさらに強まる。目標が達成できるか否かで、CEOとしての自分の力量が評価されるからだ。
言うまでもないが、倫理的に行動すると同時に、人々がいきいきと輝ける環境をつくり出している最高倫理責任者やその他のリーダーはすでにたくさんいる。しかしそれでも、さらにいい仕事をする余地が誰にでもあると私たちは考えている。その一例を紹介しよう。

ケーススタディ

## ネスレ・フィリピン

2003年、ネスレ・フィリピンは約20億ドルの年間取引高を誇る黒字ビジネスだった。アジアの消費ブームに便乗できたことも功を奏し、フィリピンはネスレにとって全世界でベストテンに入る重要市場となっていた。しかし2004年に入るころには、ネスレ・フィリピンの売上は伸び悩むようになってきた。消費者が余分のお金を携帯電話代にまわすようになっただけでなく、取り扱う製品カテゴリー全般で競争圧力が高まったからだった。ついに2005年の第一四半期には、売上が17パーセント低下するという始末になった。「輸送中」の在庫は蓄積する一方。店頭の商品も売れずに古くなっていった。流通業者は（在庫がはけないので）不満たらたら、自社倉庫も在庫がぎゅうぎゅう詰めだった。港では600本のコンテナが荷受けされるのを待っており、すでに何百万ドルもの遅延料が生じていた。

それでも同社で働く人々のほとんどは、自社が危機に瀕しているとは夢にも思わなかった。営業チームの面々は、2003年度に「輸送中」の在庫を増やすことで獲得した報奨旅行に出かけるのに大忙しだった。社内では組織のサイロ化が進んでいて、各部署は別々の階にオフィスを構え、周囲に木製の仕切りパネルをめぐらせて、何か問題があれば他部署のせいにしていた。もちろん情報の共有や部署間の連携などはまったくなかった。

ナンドゥ・ナンキシャーがネスレ・フィリピンの新CEOに任命されたのは、2005年のことだった。ナンドゥは、実施されるべき戦略的選択に関係するあらゆる人と、競合他社に勝てる見込みのある領域にフォーカスすることで、会社の立て直しをはかることにした。

まず彼は（解決策を教え、何をすべきかを命令する代わりに）現場の担当者たち――マーケティング担当者、営業チーム、仕入れ担当者など――に次のような質問をした。「コスト削減の足かせとなっているプロセスは何だろう？」「販売や在庫管理、製造計画を製品ごとに需要に応じて行うには、現行プロセスをどう変えるべきだろう？」「運転資金を賢く管理するにはどうすればいい？」それと同時に、そうした担当者たち全員が「必要な対処をする権限がある」ことを明確に打ち出した。問題の解決策を考えるための最適な立場にいるのは彼らだと信じていたからだ。

また、何よりも重要なことに、エンパワーされた人々が活躍できる環境を物理的にも企業文化的にもつくり出した。言い換えれば、そうした人々に時間と心の余裕、そして裁量権を与えたうえで、課題に集中し、解決のために協力し合えるようにした。彼は自分の役割を、人々が協力して目標を達成する妨げになるものを取り除くことだと考えていた。

木製の「仕切りパネル」は撤去され、部署間の連携を促進するために職能横断型の製品チームが結成された。ナンドゥ自身がお手本となり、チームプレー精神とコラボレーションを奨励した。都合の悪いことはすべて他部署のせいにするサイロ型思考に代わるものとして、問題意識を共有し、コラボレーションする姿勢が導入された。ナンドゥの方針は、カント的ともいえるシンプルなものだった。彼は、次のような概念を採用していた。

●自分がもつ権限は与えられた役割に伴うもので、いわば贈り物だ。自分は活躍できる機会をプレゼントされた。だから自分の仕事は、その機会を使ってほかの人々も活躍できるようにすることだ（自分が他人に望む態度で、他人に接する）。

●うちの会社で働く人々は誰もが有能で、何かしら貢献できることがあり、いい仕事をしたいと思っている（他人の目的に敬意を払い、その気持ちを相手への態度に反映させる）。

●ほかの人々に特定の振る舞いを期待するときは、まず自分がお手本となり、どんな振る舞いをしてほしいかを身をもって示す（定めるルールは、自分にも他人にも同じように適用する）。

18カ月後、ネスレ・フィリピンはよみがえった。以後はマイルストーンを次から次へとクリアし、5年目の終わりには全世界のネスレの子会社のうちでもトップクラスの業績を誇るようになった。それも、売上や市場シェアの成長率、利益率、運転資金の健全さから、従業員満足度や広報・マーケティングにいたるまで、さまざまな面で抜群だった。

---

## 覚えておこう

●「エンパワーメント」とは、気まぐれに許可を与えることではない　エンパワーメントを実現するための組織の努力の多くは、意図に反する前提のために徒労に終わってしまう。その前提とは、権力とは序列上の地位に比例するものであり、「エンパワーメント」とは、上位にいる人が意思決定をするときに自分よりも下位にいる人の意見も考慮してやることだ、といったものである。そんなものはエンパワーメントではない。気まぐれに許可を与えているだけのことだ。

**●リーダーの仕事は、ほかの人々が活躍できる場をつくり出すことである**　従来の考え方を上下逆さまにしてみれば、序列の上位にいる人々の役割は、「エンパワーメント」を自分の裁量でほかの人々にプレゼントすることではなく、「エンパワー」された人々が活躍できる場をつくり出すことだとわかるはずだ。

**●あらゆる事態に備えてルールを定めようとすれば、組織の順応性を低下させてしまう**

私たちが生きるこの世界は、不確実で複雑なうえに、混乱に満ちている。その結果、多くのピンチやチャンス、想定外の状況、新しい体験が生まれるが、一定の権限を委譲したからといってそれらすべてに対応できるわけではない。万一、対処できると思い込み、ほかの人々もその一定の見方に従って行動すべきだと考えれば、組織の順応性を低下させてしまう。

**●権限とは、肩書に伴う権利ではない**　権限とは、他者からの贈り物で、他者のために行使すべきものだ。もし人々の「許可」なしに使うようなら、それは権力の不当な行使、いわば弱いものいじめでしかない。

**●権限の委譲は、下から上に行われる**　権限とは、上から下に委譲されるものではなく、下から上に委譲されるものである。上の地位に就く人々は、このことを忘れないほうが賢明だろう。

**●ほかの人々に決定権をゆずる**　経営陣は、意思決定の際に中間管理職やスタッフの意見を考慮しようと必要以上に努力するのではなく、組織が成功するために必要な意思決定を誰もが自ら自由に行える環境をつくり出そう。

**●権限から生じる力は、公正に行使されるべきである**　与えられた権限を公正に用いることは、全員の義務である。

もしあなたが、自分がもつ権力や権限を公正に用いたいと思うなら、次のようなことをお勧めしたい。

- 「人はみな生まれつき平等だ」という考えにもとづいて行動する。
- 自分がいま手にしている権限が与えられたものであることを忘れない。
- 他人に対して、自分ならこうしてほしいと思うように振る舞う。
- 他人の目的や目標を理解して尊重し、その気持ちを相手への態度に反映させる。
- 他者に対して定めるルールを自分にも同じように適用する。

## 第6章のまとめ

この章では、エンパワーメントと権限、権力の関係について考えた。よりよいリーダーになるためには、自分の考え方と行動を変化させ、与えられた権限を使って、意欲も能力もある人々が自分の頭で考え、活躍できる環境をつくる必要がある。次の質問を自分に問いかけ、その答えを肝に銘じておこう。できれば優先事項のトップに置くようにしよう。

- 相手が重要だと思っていることをさらに深く理解するには、どうすればいいだろう？
また、その理解を通して相手とつながり、相手のために機会をつくり出すには、どうすればいいだろう？

●ほかの人々が仕事をしやすくなるように自分の力がおよぶ範囲で支援するには、どうすればいいだろう？　また、人々が自らの強みや情熱を発揮できるように業務を調節するとして、あなたに手伝えることはあるだろうか？

●周囲の人々が創造性や能力、素直な好奇心を発揮しようとするとき、その際の障害を取り除くためにあなたは何をすべきだろう？

第7章では、一人ひとりがいきいきと働ける環境をつくる前に、自分たちのコミュニケーションが引き起こしている問題を自覚し、どう変えていくべきかを探っていこう。あなたは、上の地位にいる人ほど知識が豊富だと信じ込み、周囲はあなたの考えを理解し、あなたの考えに従って行動すべきだと思っていないだろうか？　もしそう思っているのなら、あなたは「人が学び、知識を身につけ、行動を起こすための自然な方法」と正面からぶつかることになる。

# 第7章 意味とコミュニケーション

前章では「エンパワーメント」に対する考え方を逆転させ、意欲も能力もある人が活躍できる環境づくりに力を注ぐことを学んだ。その際に重要な要素のひとつが、コミュニケーションだ。人には、自分なりに理解するための時間が必要である。それなのに多くの場合、親切すぎるリーダーたちが「何を考えるべきか」「それはなぜか」を教えてくれる。

この章では、エピクテトス（55〜135年）、デイヴィッド・ヒューム（1711〜1776年）、ジョナサン・ハイト（1963年〜）という3人の哲学者の思想を取り上げる。そして、よかれと思って行われる「TELL型コミュニケーション」が、人々の重要な欲求をいかに損ねているかに目を向けたい。

人は、あらゆる物事に意味を見出そうとする。しかし、リーダーの仕事とは「どう考えるか」や「何をするか」を周囲の人々に（ご自慢のコミュニケーション能力を発揮して）無理強いすることではない。リーダーの役割は、一人ひとりが自分の頭で考え、そこからさまざまなコラボレーションが生まれるようにすることにある。

じつは私たちがクライアントと打ち合わせをするとき、クライアントの多くがまず話したがるのは、従業員のやる気のなさや非協力的な態度についてである。だが私たちの経験からいえば、問題は従業員の側にあるのではなく、リーダー側のコミュニケーション力にある。

## 偉大なる「カスケード」

四半期ごとに全社員が集合する全社会議《タウンホールミーティング》が始まった。壇上のCEOは、この日のために用意した動画と、自社のロゴが入ったパワーポイントのスライドを駆使しながら、新たな戦略的フォーカスと事業運営モデルを発表している。「現在」と「今後」の事業が整然としたチャートで示され、締めくくりに「地平線の彼方へ――よりよい未来を創造する」という新たな標語が画面を飾る。CEOは、その場にいる全社員に次のように呼びかける。組織がさらに革新的になるためには、まずはその文化を変える必要がある。「地平線の彼方へ」とは、未知の領域に向けて一人ひとりがチャレンジすることだ、と。

その後に予定されていた15分間の質疑応答タイムは、短縮されて5分間になった。というのも、CEOが持ち時間をオーバーしてしまったからだ。CEOは2、3の質問に回答しただけで、時間がなくて申し訳ないと社員に詫び、これからも質問があれば遠慮なくメールしてほしいと述べる（専用メールアドレスのユーザー名は「Ask_the_CEO」だ！）。

一方で、管理職にはこう命じる。今後はマネジャーレベルに流される重要な最新情報は「カスケード」、つまり幹部から下へ下へと伝えていき、その際に出た質問は誰から出たものであれ本社のコミュニケーションチームにフィードバックするように。最後にCEOは「わが社がリストラに踏み切るという噂があるが、まったくそんなことはない」と保証する。

以後数カ月間、管理職たちは、くだんのカスケード型コミュニケーションを通して「why（なぜ？）」と「what（何をするか？）」を問いかける姿勢を部内に浸透させ、新たな事業運営モデルに全員が賛同するように仕向けていく。各事業単位での取り組みを支援する変革の旗振り役《チェンジエージェント》も公募された（すでに受付は始まっている。我と思わん人はぜひ立候補してほしい！）。そして公式のチェンジエージェントの任命手続きが完了すると、関係者全員で新チームの発足記念パーティーに向かう。記念にもらったボールペンとトートバッグ（「地平線の彼方へ」のロゴ入り）を握りしめながら。

どこかで聞いたことのある展開だろうか？　個々のケースで多少の違いはあっても、人々の理解を深めて集団行動を促そうとする際の主流のアプローチはいまなお「綿密に計画されたタウンホールミーティング」、「上層部からのカスケード型コミュニケーション」、そして「（願わくは）影響力のあるチェンジエージェントたち」の３本立てだ。

問題はどこにあるか？　こうした活動をひとつずつじっくり見てほしい。そうすれば「何を考えるか」「どう感じるか」（また多くの場合）「何をすべきか」に関する暗黙の指示が含まれていることに気づくはずだ。私たちはこれを「ＴＥＬＬ型アプローチ」と呼んでいる。

このアプローチは、組織内で行動を促すための取り組みの柱になっていることも多い。「最終的な目標」はすでに上層部によって決められている。つまり上層部にとって大切なのは、ほかの人々にもその目標を理解・賛同してもらい、実現に向けて行動を起こさせることなのだ。

では、その結果どうなるのだろう？　リーダーたちは（ふたたび）夜遅くまで残業し、次のタウンホールミーティングの内容を検討することになる。すべての問題になんらかの解決策を提示しなければならないとのプレッシャーをひしひしと感じながらだ。それ以外の社員は、いまひとつピンとこず、混乱・困惑したままである。

もちろん、何かを改善したいと考える人が、目標をほかの人にも理解してもらい、持続的な取り組みがなされるようにしたいと思うのは自然なことだ。それが現代のリーダーの最大の関心事になっているのも無理はない。だが、これから見ていくように、そのために「ＴＥＬＬ型アプローチ」を採用しているかぎり、従業員たちの創造性や多様性ややる気を損なうばかりの空まわりになる。

## TELL型アプローチが魅力的な理由

最初に、このアプローチがなぜ世界中でこれほど人気なのかを考えるには、私たちが経営幹部を対象に行った調査結果が参考になるだろう。その調査では、戦略を実行する際にもっともよく使う手法を答えてもらった。その結果、対象者の89パーセントが次のいずれかの手法を採用していたことがわかった。

1. 組織のシステムに手を加え、「誰が誰に報告するか」を変えていく。
2. 「誰がどんなことに説明責任を負うか」と「意思決定を誰がするのか」を変えていく。
3. 業務が円滑に進むように、新たなプロセスを導入する。

この傾向は、業種を問わず世界中で共通しているが、それほど驚くことでもないだろう。というのも、誰もがわかりやすさと終着点を求めているからだ。仕事を選ぶときに、抽象的なものよりも具体的なもの、つまりはっきり特定できて経過が観察できる仕事に魅力を感じるのは自然なことだ。自分たちが何をすべきかや進捗状況をきちんと把握できれば、事態を掌握できていると感じられるからだ。

ちなみにこの調査では、その後に別の質問もしたが、最初の質問よりも重要かもしれない。

それは「なんらかの計画を実現させるときにネックとなることは何でしょうか?」というものだ。その答えはまたしても、地域や業種に関係なく一致していた。それは、コミュニケーションの不足である。

もっとも大きな障害はコミュニケーション不足であることを、誰もが本能的に知っている。それでもなお、組織構造やプロセス、意思決定者(または説明責任者)を変えることばかりにこだわるのは、興味深い現象というしかない。

## 名ばかりのコントロール

こうした認識と行動のギャップをリーダーたちと検討すると、問題の核心が見えてくる。リーダーたちは、主導権を「握って」いないかのように見えると、その主導権を「失う」のではないかと心配する。そしてコントロールを強化していくための最善の方法は、「組織構造」「プロセス」「意思決定に関する説明責任」という3つの領域でさらに効率化を進めることだと感じている。

こういった具体的な改善をすることには、たまらない魅力がある。その魅力は、自分の役割に関して主導権を握っていると感じたいと願う、人間本来の欲求に由来している。たいていの人は「いい仕事をした」と思いたいからだ。言うまでもないが、ここでの誤りは、結果をコントロールする力を実際以上に備えているかのように振る舞ってしまうことにある。

こうした傾向がどんな結果をもたらすか？　多くの場合、従業員たちに漠然とした不安感をもたらし、受け身の姿勢や、依存的な傾向を高める。通常、それらは単なる「抵抗」と上層部に受け取られるが、じつはごく自然な反応であって、変化に対する一人ひとりの姿勢とはあまり関係がない。不安があれば、物事に意欲的に取り組み、創造性を発揮することは困難になる。

また、他人と協力する際にも、自分以外に目を向けようとする傾向も低下する。視野が狭くなり、脅威に敏感になる。そのため目の前のリスクが実際より大きく感じられる。「社員の士気が低い」と愚痴をこぼす管理職は多い。たしかに一見すると、社員が抵抗や邪魔をしているかのように見えるかもしれない。こちらを質問攻めにしてくる場合も、まったく反応がない場合もある。

しかし、見かけと真実を混同してはいけない。誰でも相手の話や行動が腑に落ちないときや、納得するための時間や機会がないときには不安になるものだ。

変化を起こすための取り組みには、大至急のものも多い。それもまた、手軽に実行できて結果もすぐに出る「ＴＥＬＬ型アプローチ」に人気が集まる理由といえる。ただし、そうして伝えたメッセージをもとにいまこそ行動してほしい、という段になって思わぬことが起きる。「イニシアティブを発揮して」「指示される前に」「主体的に」行動してほしいとリーダ

郵便はがき

141-8205

おそれいりますが
切手を
お貼りください。

東京都品川区上大崎3-1-1
株式会社CCCメディアハウス
書籍編集部 行

■ご購読ありがとうございます。アンケート内容は、今後の刊行計画の資料として利用させていただきますので、ご協力をお願いいたします。なお、住所やメールアドレス等の個人情報は、新刊・イベント等のご案内、または読者調査をお願いする目的に限り利用いたします。

| | | | |
|---|---|---|---|
| ご住所 | □□□-□□□□ ☎ ― ― | | |
| お名前 | フリガナ | 年齢 | 性別 |
| | | | 男・女 |
| ご職業 | | | |
| e-mailアドレス | | | |

※小社のホームページで最新刊の書籍・雑誌案内もご利用下さい。
http://www.cccmh.co.jp

# 愛読者カード

■本書のタイトル

■お買い求めの書店名(所在地)

■本書を何でお知りになりましたか。

①書店で実物を見て　②新聞・雑誌の書評(紙・誌名　　　　　　　　)

③新聞・雑誌の広告(紙・誌名　　　　　　　　)　④人(　　　)にすすめられて

⑤その他(　　　　　　　　　　　　　　　　　　　　　　)

■ご購入の動機

①著者(訳者)に興味があるから　②タイトルにひかれたから

③装幀がよかったから　④作品の内容に興味をもったから

⑤その他(　　　　　　　　　　　　　　　　　　　　　　)

■本書についてのご意見、ご感想をお聞かせ下さい。

■最近お読みになって印象に残った本があればお教え下さい。

■小社の書籍メールマガジンを希望しますか。(月2回程度)　はい・いいえ

※ このカードに記入されたご意見・ご感想を、新聞・雑誌等の広告や弊社HP上などで掲載してもよろしいですか。

はい(実名で可・匿名なら可)　・　いいえ

ーたちが心から望み、それを奨励していても、実際には正反対のことが起きるのだ。社員たちは受け身になって、答えはすべてリーダーが教えてくれると考えてしまう。万一、十分な情報が与えられなかったり、メッセージがいろいろな意味に解釈できたりすると（通常はそうなる）、どうしたものかと途方にくれる。

この現象は、「ＴＥＬＬ型アプローチ」の中心にある、情報の「発信↓受信」の概念がもたらす弊害といえる。カスケード型コミュニケーションに備わる「発信↓受信」的傾向は、（創造的な反応とは逆に）受動的な反応を引き起こしてしまう。「積極的に行動しろ」「革新的であれ」と言葉では呼びかけながら、実際の行動では「指示待ち」を奨励している。その結果、部下たちは混乱し、何もせずにただ上の指示を待つようになる。そもそもどれだけの主体性を求められているのかわからないので、自分からは動きようがないのだ。

行動は言葉に勝る。今度、おおぜいの人と集まる機会があれば、ちょっとした実験をしてみよう。まず、その場にいる人全員にこう頼む。「片手を頬っぺたに当てながら、私に注目していてください」そして自分は、片手であごに触れる。するとおそらく99パーセントの人々は、同じように自分のあごを触るはずだ。私たち人間は、言葉より行動に対して反応する傾向がある。どんなメッセージを伝えたいのであれ、上位のポジションにある人々が繰り返し行動で示すほうが、説得力ある言葉で伝えるよりはるかに効果的なのである。

## 「抵抗」という誤解

一見「抵抗」と映る態度はじつは不安の現れだ。変化を求められるときには、人々の不安や不信感は高まりがちになる。それは変化する状況を自分なりに把握する時間が十分にないからだ。受け身の姿勢や依存的傾向も強まり、答えはすべてリーダーに教えてもらえると考えるようになる。そして、実際に変化が起きると、人々は混乱し、指示を待つようになる。

しかし、こうした状態はどちらも「変化に抵抗している」と誤解されがちだ。また「やたら質問する」「別の見方や解釈を提案する」「自分の意見を言う」といった行為も同じ扱いを受ける。悲しいことに、抵抗されていると感じたリーダーがとる反応は、さらなる「TELL」である場合が多い。なぜそれが重要で何をすべきかを相手に「力説」しようとするのだ。

こうした読み違いが起こると、ほぼ意味のない活動がさらに増え、下からの「抵抗」を「管理」するために多くの時間が投じられる。また、こうした誤解や読み違いは、多様な考え方をも封じてしまう。それも、これまでと違うアイデアや視点がいまこそ必要、というときにだ。リーダーは、抵抗を「管理」しようとするのではなく、むしろ誰もが意思決定に影響をおよぼし、異なる視点を共有できる機会や場を積極的につくり出す必要がある。変化の時代には、多様性とは単なる「いいこと（善）」だけではなく、必要不可欠なのである。

自分なりに意味を見出す機会やすべきことを判断する機会を人々に与えず、あなたの考え

──何が正しいことで、相手は何をすべきかというあなた個人の見解──を一方的に押しつけるアプローチには、次のような弊害がある。

- **不安の増大**──未来が見通せず、不安になる。
- **依存的傾向の助長**──自分には決定権がないと感じ、すべて上の許可をとろうとする。
- **「抵抗」という誤解**──予想外の解釈や反応が「新しい方針やアイデアへの抵抗」とみなされてしまう。

あなたの組織には、こうした兆候がまったくないだろうか?

## 諸悪の根源──「全知全能のリーダー」の台頭

実際より多くのことが思い通りになるかのように計画したり行動したりする人は多い。私たちはみな、「目標に集中してまじめに努力すれば、報われる」と教えられてきたからだ。いわば「自分発」の行動にフォーカスする癖がついてしまっている。伝統的なよきリーダー像のひとつは、最善の答えを知っていて(＝専門知識がある)、自分の意見の正しさを人々にうまく訴えて納得させることができる(＝理性がある)というものだ。また、個人としてどんな貢献ができるかが重要だった。

だが今日では、別の資質が求められている。リーダーは、大幅なコスト削減を四半期間で達成し、新製品のアイデアを一夜にして思いつくことを期待され、大きなプレッシャーを感じている。ほかの人に指示するだけでそのような快挙が達成できるケースなど（あったとしても）めったにないが、身についた教育や習慣からはなかなか逃れられない。私たちが出会った多くの経営幹部たちも、「コントロールを手放」し、「ほかの人たちが貢献できるように脇役にまわる」ことを難しいと感じている。そのスキルがないからではない。「そんなことをすれば、リーダーとしての資質に欠けていると思われる」という不安からだ。

私たちを「コントロールモード」につなぎとめているのも、この感覚である。つまり「TELL型アプローチ」の根底にあるのは、こうした知識・理性・個人の貢献といった概念の残骸と言える。意思決定のときに具体的なものに惹かれるのも、事態を掌握しているという幻想をもたらしてくれるからだ。こうした傾向を自覚し、そこから脱却しようとするリーダーもいるが、たいていは「言うは易く、行うは難し」のことわざどおりになる。

もちろん、組織もほかの人も変化しないときに自分だけ変わるのは至難のわざだ。実行するには勇気と努力が必要となる。それでも私たちが出会ったリーダーのひとり、アレックスは、まさにそうしたことに挑戦していた。

アレックスは、ファストファッション・ブランドのプロダクトマネジャーとしての豊富な業界経験とともに、自分や自分の習慣を変えたいという根性ももちあわせていた。私たちは1年以上にわたってアレックスの指南役兼相談相手となり、「名ばかりのコントロール」に対抗できる、質の高いコミュニケーション習慣を身につけようと彼が試行錯誤するのを応援した。

ある金曜日の午前6時33分、アレックスから1通のメールが送られてきた。週末に予定していたコーチングセッションの日時を変更してほしいという。午前8時半にフォローアップの電話があり、詳しい事情が判明した。翌週の月曜に緊急の商品会議が開かれることになり、プレゼン用の全スライドの内容を確認しなければならなくなった、その直後に開かれる別の会議の予習も終わっていない、とのことだった。

現代の組織社会には、会議の予定が詰まっていれば、「週末返上で準備するのが当たり前」という暗黙の了解がある。そんなときにわざわざ1時間を割いて、そうした現代社会の傾向を私たちと振り返るような余裕はアレックスにはなかったのだ。

彼にとっての最大の課題は、何かのしくみや他人の期待の方向が、自分が変えようとしている方向と逆のときにどう反応するかということだった。彼には会議用のスライドの内容を知るだけで手いっぱいで、対話をする暇などない。実際には、会議そのものよりもプレゼンテーションの準備や質問に備えた予習のほうに重点が置かれる。みんなでディスカッションしようという試みなど「わざとらしい」と思われるのがオチだ（本来は、それこそが会議のはずだが)。

アレックスは、自分にかけられている期待とプレッシャーのために「名ばかりのコントロール」に引き戻されつつあることに気がついた。そして結局、部下がつくったスライドを「最終調整」するために週末を全部潰す代わりに、自分の時間を1時間、違うことに使うことにした。その時間を使って、自分とは異なる視点をもつ同僚3人に電話をし、こんなシンプルな質問をしたのだ。「私たちが問わなければならない質問で、まだそうしていないものは何だろう?」その後、彼は残りの時間を使って、この3人の答えについて考えることにした。今後の彼にとって、この1時間は質の高いコミュニケーションをしようとする場合に繰り返し立ち戻れる貴重な拠り所となるだろう。

最後に、「TELL型コミュニケーション」の裏にある考え方を分析してみよう。その前提には、自分が考える「物事のあるべき姿」と「その理由」を教えさえすれば、相手にもそれが正解だとわかるだろうという思い込みがある。だが現実はそうはいかない。言い方をどれだけ工夫しようが、パワーポイントのスライドを何枚使おうが、相手があなたと同じ見方をしてくれることはまずない。万一あったとしても、かなりまれだ。もうひとつ前提としてあるのは、誰でも理解さえすれば行動を起こす、という思い込みだ。

ところが、禁煙に挑戦した人やジョギングを習慣化しようとした人なら誰でも痛感するように、現実はそれほど甘くない。「TELL型コミュニケーション」がうまくいかないのには理由がある。それは、個人として生きることと対立するからだ。人それぞれ、経験してきたことも違えば、解釈のしかたも違う。どんなことを正しいことと考え、納得するかも違う。ここからは、エピクテトス（55～135年）、デイヴィッド・ヒューム（1711～1776年）、ジョナサン・ハイト（1963年～）という3人の哲学者の意見を聞きつつ、コミュニケーションやコントロール、意味づけに対する私たちの姿勢に目を向けてみよう。

自分が正しいと信じ込み、その正しさを理詰めで証明しようとする傾向は、見過ごされがちだが、伝統的なリーダーシップ理論の深刻な「後遺症」である。

## 哲学から学べることは？

エピクテトスは、古代ギリシアに生きたストア派の哲学者だ。奴隷階級に生まれたが、誠実さと自己管理の重要さを説いたことで世に知られるようになる。今日、「ストイック（stoic）」という言葉には、どちらかというと世の中に対して無感情・無関心な反応をするというイメージがある。しかし、こうした現代の語感と、ストア派哲学のルーツに共通点はあまりない。ストア主義の中心には、この世界が予測不能であることを常に忘れず、自分ではどうにもならないことに気を取られるよりも、コントロールできることに集中したほうがいいという考え方がある。

ストア派哲学は、キプロス島キティオンの哲学者ゼノンによって紀元前３００年ごろ創始され、1世紀ごろ、当時の政治・文化の中心地、ローマに伝えられた。エピクテトスにとってのストア主義とは、暮らしのなかで日々実践されるべきものだった。哲学とは単なる論理トレーニングではなく、生活のあらゆる場面で役立てられるべきものだったのだ。もしかしたら古代のストア派哲学者の社会的身分が多様なのも、こうしたことと関係があるかもしれない。彼らの社会的背景は、あらゆる階層におよんでいる。

たとえばマルクス・アウレリウス・アントニヌスはローマ帝国皇帝だったし、セネカは著名な劇作家で政治アドバイザーでもあった。そしてエピクテトスは奴隷だった。この3人は、社会的地位こそばらばらだが、「いかにしてよく生きるか」という考え方では共通していた。そこに経済的・社会的環境の違いはなかった。

## ストア派哲学

ところで、多くの人のコミュニケーションのスタイルにひそむ支配的な傾向を改善するには、エピクテトスなどのストア派哲学者からどんなことが学べるのだろうか？　エピクテトスは、「自分でコントロールできること」と「自分でコントロールできないこと」を区別することは生きるうえできわめて重要だと考えていた。あまりにも重要なので「コントロールの二分法」という呼び名までがついている。エピクテトスは、誰でも自分でコントロールできることに集中すれば、不安やストレス、苦痛も最終的には少なくなると考えていた。

ストア派哲学者たちは、人生のなかでコントロールできることは、つまるところ自分自身の考え方や行動、反応だけだと考えた。それ以外、とくに他人の考え方や反応に関しては、影響はおよぼせたとしても、思いどおりにコントロールすることはまず不可能だ。エピクテトスは、そうしたことが可能であるかのように思い込むことの危険を警告している。

> もし自分のものでないものを自分のものとみなすならば、きみは失望し、不安に悩まされ、神々や人々を恨むだろう。（エピクテトス『提要』1）[※1]

警告が意味することは明快だ。「コントロールできる」と錯覚すれば、自分自身が混乱するだけでなく、他人のあら探しや批判をするようになり、最終的に人間関係を崩壊させてしまう。他者との関係こそが、行動に意味を与え、長期の計画を実現させるためにもっとも欠かせないものなのに。

「コントロールできること」と「コントロールできないこと」を区別するストア派の二分法がときにとりわけ難しいのは、自分にコントロールできることがいかに少ないかを自覚すると同時に、コントロールできないことはできないと潔くあきらめ、それを日常生活で実践するという点だ。エピクテトスは次のように述べている。

「われわれの力が及ぶ範囲内にあるものは、なるべく善くするように努めなければならないが、それ以外のことはあるがままを受け入れるべきである」

すでに述べたが、「コントロールできる」という錯覚はあまりにも身近なものだ。そのせいで自覚しづらいのかもしれない。私たちがコーチングした数多くのリーダーも、「TELL型アプローチ」がおよぼす負の影響をきちんと理解し、自分のスタイルを変えようとまじめに努力していたが、それでも、どのように考え、感じるべきかまでほかの人々に対して指示しがちだった。

こうした指示は、一見、指示とはわからないかたちでも行われる。たとえば質問のかたちをとっていても、内容は実は指示というように。社内のイベントで、リーダーが同じテーブルに着いた社員たちにその種の質問をする場面は、誰にとってもおなじみだろう。どう答えるべきかは、すでに決まっている。こうした傾向は、一方通行を前提とした「発信→受信」型のコミュニケーションに頻繁に見られる。「TELL」モードに陥りそうになったときに、それを自覚しやすくするための質問をふたつ紹介しておこう。

●このコミュニケーションでもたらされるべき結論を自分はすでに知っているだろうか？

●相手から異なる見方が提示されたら、自分はいら立ちを感じるだろうか？

また日頃から「ＴＥＬＬの罠」を避けるには、次のふたつの質問を使って、自分を振り返ってみるのもいい。

●自分の不安はどこから来るのだろう？
●共通の問題に対する理解を深め、選択肢や結果をさらに好ましいものにするために、自分は周りの人から何を学べるだろう？

参考に最近の例を紹介しよう。あるＣＥＯは、自社の社員たちと話をするとき「質問のプロ」とでも呼ぶべき態度をとっていた。全社員が出席する主要な会議で彼が行ったことは、ほかの社員に混ざって着席し、賢明な質問をいくつか投げかけただけだった。その質問はすべて、ＹＥＳ／ＮＯ式や選択式ではなく、相手に答えをゆだねるオープンクエスチョンだった。彼は自分の知識と知性を、自らの視野を広げるためと、ほかの人々がなるべく多くの貢献ができる機会をつくり出すために活用した。

たとえば「容器包装プラスチックの削減に関して、わが社はもっと努力すべきだろうか？周囲の人々はどう思うだろう？」と質問したときも、彼が果たした役割は答えを提供することではなかった。きっかけをつくること、つまりその問題に人々が目を向け、対話を開始し、それについて詳しく知る人々が貢献できるようにすることだった。同社は、その会議の1年後、容器包装ごみ削減に向けて画期的なリサイクル戦略を実施していた。

ここでもう一度、何をコントロールでき、何ができないのかを整理してみよう。

**◎自分でコントロールできること**

- 自分の意図
- 自分が手助け（注：「管理」や「指揮」ではない）している一連のプロセス
- 自分の態度や行動

**◎自分でコントロールできないこと**

- 自分の言動に対する他人の反応
- 他人がその状況をどう感じるか
- 他人の感情や信念、先入観
- 他人の態度や行動

右のリストをもう一度見てほしい。現在のあなたは「自分でコントロールできないこと」

にどれくらいこだわっているだろうか。次のような行動をもっと頻繁に行うには、どうすればいいだろうか。

- 自分の意図をあらためて検討し、ほかの人と共有する。
- 自分がどんな行動をしているかを客観的に振り返り、把握する。
- ほかの人たちとつながり合い、特定の状況に自分なりの意味を見出すプロセスが円滑に進むようにする。

ストア派の哲学者からは、重要なことがふたつ学べる。

- コントロールに関するストア派の二分法の考え方を採用し、自分がいま力を注いでいることは「自分でコントロールできること」か、それとも「自分でコントロールできないこと（または、すべきでないこと）」かを常に自覚するようにする。
- 予定通りの結果になるように画策するのではなく、すぐれたプロセスを促進することに専念する。

ここまでの内容をまとめると、事前に決めた答えを一方的に伝えるリーダーは、次のふたつの前提にもとづいて行動していることになる。

1. ほかの人たちがどう理解して何を信じるかは、道理を説くだけでコントロールできる。
2. 道理さえ理解すれば、誰でも行動を起こすはずだ。

1の前提は、哲学上の基本的な思い違いにもとづいている。物事の意味は理性を通して他者にも伝達できるという思い違いだ。そこでまず、ジョナサン・ハイトの助けを借り、意味の構築は、一人ひとりが自らの権利にもとづいて個人的に行うものであるということを知ろう。2の前提は、他者を動かすのはロジックだという思想的な誤解にもとづいている。これについてはデイヴィッド・ヒュームに協力してもらい、倫理的な行動を起こさせるのはむしろ、他者とのかかわりから生じた情熱であることを確認したい。

## 自分たちの理解のしかたを理解する

おそらく誰でも、こんな会議を一度は経験しているのではないだろうか。意見の一致や合意は一応なされたものの、そう思っているのはあなただけ。人々はその後、給湯機のまわりや駐車場にたむろし（あるいは居酒屋で一杯やりながら）、自分が危惧したことをおおっぴらに語り合っている。

こうした語り合いのプロセスは重要で、きわめて人間らしい。私たちは情報について、自分の世界観にもとづいて理解している。しかし、こちらに正当な理由があると懸命に訴え、説得方法を工夫しても、直観の力には勝てない。腑に落ちないことを積極的に理解してもらうのは（たとえ不可能ではないとしても）かなり難しい。

もうひとつ覚えておくべき点は、「理解する」ことは、基本的にそれ自体が社会的なプロセスだということだ。私たちは、ほかの人（とくに、自分が信頼する相手）とのかかわりのなかで「理解する」。そのプロセスは具体的にどうなっているのか、私たちと同じく現代に生きる道徳哲学者ハイトに意見を聞いてみよう。

## 理解のプロセス

何かに対する理解を深め、自分がどう反応するかを決めるプロセスにおいて、誰もがさまざまな意思決定をしている。ハイトによれば、人間が新しいことに直面したとき、真っ先に起きるのは強烈な直観的反応であるという。私たちの直観は、気づいたときにはもう頭のなかを駆けめぐっている。その内容は（自分から見た）現在や過去と関係している場合が多い。

そうした直観をもとに、私たちは、その新しい状況が意味することについて、さまざまな判断をする。

たとえば、善か悪か、警戒すべきかどうか（または歓迎すべきかどうか）、どう反応すべきかなどだ。そして最後にようやく（すでにおおかたの方針が固まった後で）自分の判断に都合のいい理由づけをする。つまり、新しい情報に接した人の反応にもっとも強い影響をおよぼす要素は、直観である。

本書では、このハイトの考え方に、以下のような追加をしたい。新しい情報に接した人は、直観的に次の3つの角度からその情報を検討する。

**感情**——自分をどんな気分にさせるだろう？（そう反応する理由はよくわからなくても、自分が反射的にどんな反応をしたかは自覚できるはずだ）

**傾向**——自分はいま、どのようなものに波長が合いやすいだろう？　たとえば、ピンチとチャンスではどちらだろう？

**経験**——これまでに似たようなことを目撃したり体験したりしたことはあったか？　もしあった場合、それは自分にとってどんな経験だったか？

次に会議に出席したときには、みんなのやり取りをいつもより注意深く観察してみよう。そうすれば、私たちがほとんどの時間、理性のレベルでやりとりしていると気づくはずだ。もちろん、論理はビジネス界の共通語だ。自分の考えを共有するときに使われても不思議はない。じっさいリーダーが自分の感情や経験、傾向について率直に語ることなどあまりない。自分の直観的判断ともなれば、なおさらだ。

だが、このことは重大な影響をもたらす。もし、誰もが論理に論理で対抗し、その下に隠されているもの——すでにくだされている直観的判断や、その判断のもととなった感情や傾向、経験——を知ろうとしなければ、いつかは壁に突き当たってしまう。自分の論理だけにもとづいて相手の論理を変えさせられることはあまりない。そうしたことを可能にするには、まずは相手が直観的に感じたことを知る必要がある。

前述の給湯室や駐車場や居酒屋といった場所でのひとときは、私たちが自分の直観（つまり感情や経験や傾向）に思いをはせ、信頼できる人たちとそれを共有する典型的な時間といえる。そして、それこそがカギになる。

自分の直観を信頼できる人たちと共有することを通して理解を深め、ときには自分の判断を変える。新しい見方を発見することもあるかもしれない。ふつうは、理詰めで説得されるだけでは、意見を変えたりはしない。ときには譲歩をするかもしれないが、その結果もたらされるのは、名ばかりの合意であり、譲歩した内容が実際に行われることはあまりない。結局、ハイトの思想を通してどのようなことが学べるのか？

- 他者を説得して意見を変えさせることは、理性や道理に訴えるだけではできない。
- 誰でも、新しい情報を理解するときには、おもに自分の経験や感情や傾向にもとづいて理解する。
- 意味づけは、他者との交流を通して行われる。

真の意味で前に進むには、自分たちの不安や直観をざっくばらんに話し合う必要がある。そのためには、相手のもつ感情だけで「抵抗者」の烙印を押すことがあってはならない。

## 意味を見出す道のり

職場で直面するさまざまな共通の課題に対して、それぞれが自分なりの意味を見出せるように手助けする場合、陥りやすい落とし穴がふたつある。ひとつは、私たちが自分なりの思考体系を身につけるために必要な「時間」と関連している。私たちはみな、自分たちが歩んできた道のりがいかに長かったかを簡単に忘れてしまう傾向があることだ。

たとえば、中間管理職がイニシアティブをとらないことに業を煮やして私たちに相談をしてきた、あるCEOは、9か月間近くをかけて状況を理解し、いろいろな人にアドバイスを求め、自分の考えや感情を整理した。だがほかの人たち（中間管理職）にはそんな機会はなかったので、CEOの結論を受け入れる準備が整っていなかった。彼は自分の体験を振り返り、初めのころに参加したワークショップから刺激を受けたことや、経営幹部向けのコーチングを受けたのが考えをまとめる機会になったこと、計画立案の頼れるパートナーとなる最高戦略責任者（CSO）がいたことなどを挙げながら、こう語った。たしかに自信をもって行動するという点では、知識や考え方の面だけでなく、感情の面でも、これまで自分が歩んできた道のりにはきわめて重要な意味があった、と。

CEOとしての役割は、すべての答えをもっていることでも、ヒエラルキーを通して指示し活動をコントロールすることでもない。彼の仕事は、会社という集団がなすべきことを誰もが自分なりに考え、その結論に意味を見出せる機会や場を提供することなのだ。

リーダーたちが自信たっぷりに目標と理由を共有するとき（冒頭のタウンホールミーティングの例を思い出してほしい）、彼らにはアドバイスを求め、内容を反芻し、自分なりの答えを出すための時間がたいていは十分にある。また通常は、あらかじめ自分の直観や判断を、信頼できる人々と検討してもいる。

しかし、こうした機会をリーダー以外の人が得られることはあまりない。もちろん、いったんリーダーが今後の方針を決めたら、そっくり同じ思考プロセスをみんなで一緒に繰り返す必要はないようにも思える。目標達成のためには何をすべきかをただ命令するほうが、ずっと効率的だし、時間の節約にもなる。だが残念ながら、そううまくはいかないものだ。

もうひとつの落とし穴は、思うような行動につながらない場合に何が起きるかに関連している。その場合は努力の方向を修正し、相手の受け取り方を変えることに重点が置かれて、相手がどう受け取ったかを理解しようとはしない。「みなさんにとってのメリット」型のメッセージが出現しやすいのはこの段階だ。リーダーはよかれと思って、手助けしているつもりでも、論理が経験に勝てる見込みはまずない。それはハイトの指摘からも明らかだ。そのうえ、このアプローチは、一人ひとりの独自の経験を、そこから得た知識や視点やアイデアも含めてないがしろにしてしまう。つまり、一人ひとりが貢献する余地をなくしてしまうのだ。

## 行動へのコミットメント

「感情」は理性よりもはるかに強力だと主張した哲学者にはほかにも、前述したスコットランドのデイヴィッド・ヒュームがいる。ヒュームは、実際には誰も従わないような抽象的な教義をつくりあげることには関心がなかった。彼が知りたかったのは、人間とは実際にどのような存在なのかということだった。

彼は著書『人間本性論』のなかで、「道徳的な善悪は、理性ではなく心情によって判別される」という、当時の哲学的常識とは反対の考え方を主張し[※2]、その主張は、感情主義（道徳感覚学派）の柱になっている（道徳感覚学派とは、道徳的な善悪の判断の基準となるのは客観的な原則や適用されるルールではなく、経験に対する感情的反応であると考える哲学の一学派）。

ヒュームは人々を観察し、「理性は情念のしもべである」と結論した。ここでの「情念」とは、私たち現代人が感情や本能や願望と呼ぶものを指している。またヒュームは「しもべ」という言葉によって、理性のおもな役割は情念を保護することで、自分が大事に思うものを守るための手段として機能すると指摘している。

このヒュームの考え方に従えば、理性は中心にあるどころか（コミュニケーションのスタイルの選び方を通して、あなたはそう信じ込んでいたかもしれないが）、むしろ「あと知恵」であることが見えてくるだろう。理性の役割は、私たちの情念（感情や願望）を「敵」から守り、生きのびさせることだからだ。

したがって、理性だけに訴えても人は動かない。それどころか共感を得られず、しらけた顔をされるはめになる。こうしたことが起きるのは、そもそもほかの人の感情を無視するからである。よしんば相手の意見や理由をたずねたとしても、相手の意図や願望や感情については気にしないことも多い。だが、行動の動機となるのは、「どう感じるか」や「どう見られたいか」であり、何を命令されたかではない。

このことを端的に示す有名な例のひとつは、心臓バイパス手術を受けた患者のその後に関する調査結果だ。患者のうち、健康になるために必要なライフスタイルの改善を実践する人は10パーセントしかいないという。実践できない理由は、知識がないからではない。個人のアイデンティティの問題、つまり自分自身をどんな人間だと考え、どんなイメージが周囲に定着しているかが理由だ。新たな習慣を身につけ、定着させるためには、自らの感情とアイデンティティ（自分自身や他人にとって、自分がどんな存在なのか）を一致させる必要がある。

理性だけでは、意志による行動にはつながらない。また、意志の方向を決めるさい、理性が情念に対抗しうる見込みはいっさいない。理性だけではいかなる行為も導かれない。行動しようという衝動は、情念から生まれるものでなければならない（ヒューム）。

## デイヴィッド・ヒュームから学べる3つの教訓

● 人を動かすのは理性ではなく、自分の感情を表現したい、あるいは守りたいという衝動である。

●感情は、他人と経験を共有し、影響を与え合うことから生まれる。
●理性は、さまざまな感情を覆いかくす「仮面」として使われる場合がある。

ヒュームも述べているように、感情は固定したものではない。日々の生活のなかで変化していくもので、本人の世界観にも影響される。感情は、他人と経験を共有し、影響を与え合うことから生まれる。それについては、第8章で詳しく説明する。

## 新たなアプローチ――「教える」のではなく、意味を「ともにつくる」

ここまでは哲学者の考え方を参考にしながら、自分たちのアプローチの短所に目を向けようとしてきた。ここからは哲学者から学んだことをもとに新たなアプローチを開拓しよう。

ある情報を人々がどう受け取るかはコントロールできない。だからこそ、どう理解すべきかを相手に「教え」がちになる（その結果、相手との関係は悪化する）。しかし、そのような悪循環をなるべく避けて、一緒に理解していく機会や場を生み出す必要がある。

たとえば、私たちのクライアントのひとり、キースは、この章で紹介した3種類の哲学の教えを採用しながら、予算数百万ポンドという大規模な改革プログラムを立ち上げようとした。彼は、ストア派の哲学者たちから、コントロールできるのは自分が携わるプロセスだけで、その結果ではないとあらためて学んだ。ヒュームの思想からは、個人の感情がいかに強力かを発見し、ハイトの思想を通して、人々の心にまず浮かぶのは直観であり、理性は最後だということにも気づいた。

そのプロジェクトでのキースの使命は、約1000人のスタッフが働く職場環境を劇的に改善することだった。オフィス間の仕切りや壁を取り払い、オープン型のオフィスに移行するためには、組織文化を大幅に変化させる必要がある。彼は、今後どんなことが起きそうかを（自分の専門知識や経験、またプロジェクトの詳細な実行計画にもとづいて）相手に教えようとする代わりに、その変化に適応することがその人たちにとって感情的にどれほど難しいか、たとえば、どんな恐れや不安があるかに目を向けた。言い換えれば、ただ理詰めで説得するのではなく、一人ひとりの経験や感情、バイアスを尊重すべきだと判断した。

キースがとった行動のうちでとくに大きな影響をおよぼしたのは、新しい環境を体験できる機会をつくったことだ。新しい職場環境の体験コーナーを設け、人々が気軽に訪れ、椅子に座ったりカーペットに触れたりしながら、モニターとして意見が述べられるようにしたのである。つまり、新たなコンテキストを前向きに体験してもらえるチャンスを提供した。ささいなことのようだが、その効果は絶大だった。さらにパワーポイントのプレゼンなどは行わず、その代わりに少人数のグループで話し合える場を設けた。そして不安なことや気がかりなことがあれば、ぜひ共有してほしいと呼びかけた。

みんなの声を聞こうとしたのは、よりよい解決策を生み出したかったからだけではない。一人ひとりに状況を解釈する機会や場を提供したかったからでもある。キースは、絶対に譲れないことについてはそうはっきり告げたが、それ以外のことについては意見やアドバイスを積極的に求めた。その結果、各人が自分なりの意味づけを行うことができ、みんなの不安は興奮に変わっていった。

## 「あらゆることが起きうる」場所をつくる

「今後の方向性を定めるにあたって決定事項をただ伝えるのではなく、一般社員にも意思決定のプロセスに参加してもらうとすれば、どんなことが心配ですか?」という質問をリーダーたちにぶつけてみると、返ってくる答えの多くには共通点がある。それは「何が起きるかわからない」つまり「あらゆることが起きうる」ことへの不安である。だが、同じリーダーたちに「あなたの組織にもっとも望むことは?」とたずねたときには、創造性や革新性や敏捷さのいずれか(または全部)を向上させたいと答える人がほとんどだ。

しかし、そうした特質が発揮されるためには、まずは「あらゆることが起きうる」環境が必要になる。自分が正しいということを確信しているかのように振る舞う人物は、それが誰であっても——あなた自身でも——十分に警戒しよう。組織が繁栄するためには、特定の見方やアプローチを全員に押しつけるのではなく、多様な視点が重要になる。

続く第8章では、この考え方にもとづいて、「エンゲージメント」に対する主流のアプローチを振り返りたい。あなたは、自分たちに賛同してそれを行動で証明してほしい、というあなた自身の希望と「エンゲージメント」を混同してはいないだろうか？

## 第7章のまとめ

この章で指摘したことは、誰にとっても大きな挑戦だ。その挑戦として、「全知全能のリーダー」、つまりあらゆる答えを知っているという責任を担いながら、その責任の重さに人間らしく向きあえない人物が台頭してきたときにはいち早く気づいて、対抗することだ。また「自分でコントロールできること」と「自分でコントロールできないこと」をはっきりと区別し、コントロールできないことはできないとあきらめる必要がある。そして有意義なプロセスを促進することにエネルギーを集中し、起きてしまった出来事については「あらゆることが起きうる」ということの具体的な例として歓迎しなければならない。

人は誰でも、自分なりに意味を見出す余裕があれば、その意味を集団行動につなげる道筋も見出せるものだ。どう考えるべきかをほかの人たちに口うるさく指示するのではなく、一人ひとりがいきいきと輝き、自分のアイデアや能力を存分に表現・発揮できる人間らしい職場をつくろう。そのカギは、コントロール志向から脱し、多様な視点を受け入れることにある。

## あなたへの質問

1. あなたは、「自分がコントロールできること」（自分の意図や行動、自分が直接影響をおよぼせるプロセスなど）に自分のエネルギーや時間をどれくらい費やしているだろう？
2. あなたは、ほかの人の直観（相手の感情や経験）にどれだけ頻繁に注目し、深く理解しようとしているだろう？
3. 「リーダーといえども完ぺきな人間ではない。あらゆる答えを知っているわけではないし、間違うこともある」と理解してもらうには、どうすればいいだろう？ また、「あなたたちも完ぺきである必要はない」と言葉ではなく行動や態度で伝えるにはどうすべきだろう？

# 第8章 「エンゲージメント」から「エンカウンター（出会い）」へ

前章では、定番のコミュニケーション形式に疑問を投げかけ、人々が目的達成に向けて努力するには、その人なりの意味を見出す必要があると学んだ。この章では、「エンゲージメント」に注目し、そこでも見当違いの場所に解決策を見つけようとしている人が多いことを示したい。人間らしい職場だと感じるためには、周囲の人々と真につながる必要がある。

今回は、哲学者マルティン・ブーバーの思想を参考に、「エンゲージメント」から「エンカウンター（出会い）」に移行すること、つまり他者の関与の度合いを測り、相手を目的達成の手段とみなすのをやめ、自分の心とスケジュールに、新たな出会いのための余裕を設けることが必要となる理由を見ていきたい。同時に、相手を目的達成の手段とみなしてその枠組みのなかでだけかかわろうとすると、どんな被害が生じるかにも目を向ける。こうした取り組みのなかでのリーダーの役割についても考えていく。

それは人々を「エンゲージ」させることでも、「エンゲージメント」の度合いを測ることでもない。リーダーの役割とは、一人ひとりの他人とのかかわりかたを見守り、それが本人と組織の両方を真に変容させる有意義なものになるように支援することなのだ。

## 年一回の「従業員意識調査」

まずは、この問題に挑戦した組織の例を紹介しよう。「従業員意識調査」の結果報告メールが、経営陣の受信ボックスに届いた。やっとデータが出たと、CEOは胸をなでおろす。この1年間、さまざまな変化があったが、従業員の士気はがた落ちだ。質問が50問以上あるアンケートの回答をほとんどの社員が提出したのは、「みなさんの意見は、わが社にとって本当に重要なのです！」と人事部がしつこく催促したからだ。4カ月前のことだ。

その報告書にさっそく目を通すと、大量の棒グラフや違いがよくわからない部署別データ比較といったデータの森のなかに、ある統計だけが圧倒的な存在感を放っていた。「経営陣に対する信頼」：32パーセント。なんだって！　われわれ経営陣が組織をまっとうに統率していると考えている社員は、たった32パーセントということか？　そのあとの調査内容などはもう頭に入らなかった。

CEOは緊急秘密会議を開き、人事部長や側近の面々と対策を話し合う。どうにかしようとアドバイスを求め、コンサルタントにも相談する。時は過ぎていく。一方、当の社員たちは、調査のことなどとっくに忘れている。そんな調査があったなとようやく思い出すのは、不適切な部分を削除した結果レポートが公表されたときだ。そのレポートで経営陣はこう約束していた。

「2年以内に、すべての項目で上位25パーセントの評価を獲得いたします。改善への努力を着実に進めるため、新たなKPIをさまざまな分野で設定するつもりです」

ほとんどの組織にとって「従業員意識調査」を年一回行うことは、「企業理念」をオフィスの壁に貼り出すのと同じくらい当たり前のことだ。また、そうした調査を実施するという行為自体が、従業員の意識の問題を経営陣がどれだけ真摯にとらえているかを示す目安になっている。関連業界は大盛況で、参入企業は続々と増えている。2018年にはLinkedInが、従業員エンゲージメント調査市場で大きなシェアをもつGlint（グリント）に4億ドルを投資したと発表した。とはいえ、実際に従業員の意識を大切に扱うことは、一人ひとりの関与の度合いに実際どれくらい影響をおよぼすのだろう?

この章ではマルティン・ブーバーの意見を参考に、エンゲージメントにまつわる課題を哲学のレンズを通して検討する。一般的な「エンゲージメント」観の前提となっている考え方にも目を向け、そこでの発見をリーダーとしての日々の業務に採り入れられるようにしたい。哲学あなたの生活や仕事において、それがどんな意味をもつのかをじっくり考えてみよう。

的な視点から学んだ後には、その学びにもとづいてエンゲージメントを促進するための定番アプローチを検討し、それらが残念ながら逆効果にしかならないことを指摘したい。

もちろん代案も用意している。自分たちのアジェンダにほかの人がどれだけ積極的に取り組んでいるかに目の色を変える代わりに、自分の時間とエネルギーをもっと賢く活用するのである。つまり、一人ひとりがいきいきと輝きながら、アイデアや能力を存分に表現・発揮し、ほかの人たちと真に出会えるようにする。これは従来とはまったく違うかかわり方である。「エンカウンター」とは、私たちのもっとも深い部分に接しようとする行為で、きわめて「相関的」なものだ。そもそも「相関的」とは、「エンゲージメント（engagement）」という言葉の定義でもある。

とりあえず冒頭の話に立ち戻り、当事者の身になってみよう。まず経営陣は、間違いなくプレッシャーを感じているはずだ。責任をひしひしと感じるが、具体的にどうすべきかはわからない。いったい何ができるのだろう？　何をすべきなのだろう？　とにかく行動する姿を見せなければならないが、どこから着手すべきかがわからない。結局、改善すべき結果をもたらしたメカニズムを（うかつにも）ふたたび採用してしまう。つまり対象となる取り組みを管理しなければと思い込み、測定を重視しすぎてしまう。

「従業員エンゲージメントＫＰＩ」を設定するのも不安を抑えるためだが、じつはそうしたＫＰＩじたいが新たな不安を生み出し、意欲をそぎ、共通の目的を達成するための努力を阻んでしまう。だが、経営陣はそんなことには気づかない。

次に人事担当者の立場になってみよう。彼らはまず、全社員に対して、アンケートに回答して提出するよう説得しなければならない。前回の調査で判明した不信感の高さを考えると、これはたやすい仕事ではない。調査が終われば終わったで、経営陣に悪い知らせを伝えるという役目が待っている。そして、どうすれば悪い知らせを相手に受け入れやすくできるかと連日連夜悩みぬく。

言うまでもなく、結果報告を遅らせることは、自分自身の評判にはまったくプラスにならない。疲労困憊させられるだけでなく、何かと矢面に立たされる人事担当者は、自分は貧乏くじを引いてしまったとか、誰にも助けてもらえないと感じる。ではほかのスタッフは？少なくとも、調査のプロセスそのものを業務の妨げだとみなしているだろう。下手すれば、目的達成に貢献しようという意欲まで大幅にそがれてしまっている恐れもある。

## こんな調査が、なぜ実施されるのか？

従業員エンゲージメント調査を行う理由としてよく挙げられるのは、「社員の愛社精神ややる気の度合いを知るため」といったものだ。とはいえ、アリストテレスからカントに至るおおぜいの哲学者も口をそろえて反論するだろう。もともと「エンゲージメント」は人間の自然な状態なのだと。すでに著書が何冊も刊行されている人類学者ジョセフ・ヘンリックに聞いても、他者と社会的な関係を結び合うその能力こそが、ヒトが種として繁栄できた秘密だと言うはずだ。人には、他人と心を通わせたいという欲求がある。

人間である私たちには生来、意義ある貢献をしたいという欲求が備わっている。そして自分よりも大きな存在の一部と感じたいと願う。なんらかの目標を実現させるためにほかの人と一緒に努力しているとき、私たちはもっとも人間らしい状態にある。

## エンゲージメントへのこだわり

エンゲージメント、とりわけステークホルダー・エンゲージメント（自らの組織と直接的または間接的に影響を与え合う利害関係者との関係を指す）は、ビジネススクールの伝統的なカリキュラムにおいて重要なキーワードのひとつとなっている。私たちは、それこそが、すぐれたグローバル戦略を現地での具体的な行動に転換するためのカギだと教えられてきた。

事実、それこそが文化的な変容を遂げ、革新的で機動力のある組織をつくりあげるための基盤である。私たちも多くの時間を費やして、こうしたことに挑戦するさまざまなチームやリーダーをお手伝いしてきた。その結果、学んだのは、「エンゲージメント」は多くのCEOのアジェンダのトップにあるということだ。社員たちが社内のいたるところでつながり合えるようにと願っている場合もあったし、冒頭の意識調査の例のように、社員からの信頼を回復しようと経営陣が必死になっている場合もあった。エンゲージメントを重視するのは当然といえよう。ただし、それに関連するアジェンダは独力では達成できない。

## あなたのアジェンダには本当に価値があるか?

私たちが最近、ある企業研修で行ったちょっと変わったエクササイズを紹介しよう。なんらかの物体、あるいはなんらかの概念と自分との関係を身体で表現してもらうというものだ。テーマのひとつは、その企業が新しく打ち出した組織戦略についてだった。

私たちは部屋の中央に椅子を一脚置いて、組織戦略をその椅子にたとえた後に、「この戦略に対するあなたの感情を表現してください」と呼びかけた。すると、ある参加者は、椅子からできるだけ離れたところに行き、窓の外を熱心に眺めるふりをした。それも椅子に背を向けながらだ(ほかの参加者も同様に、椅子に背を向けていた)。

その後のディスカッションでは、エンゲージメントに対する姿勢に関して興味深いことが判明した。まず、窓辺に行った人にこんな質問が集中した。なぜ、そんなふうに感じるのか? 同じような気分を味わっている人を知っているか? 自分の気持ちを公言するつもりはあるか? といった具合だ。こうした反応からわかったことがふたつある。

ひとつめは、何かがあまりにも露骨にさらけ出されると（今回の場合、参加者のひとりの同僚が表現した拒絶感がそれにあたる）、ほかの人はそれを受け入れて学びの機会にすることを避けたがるということだ。

ふたつめは、完全に「戦線離脱」していると思われる状態が認められたときには（もちろん、そういう見方は無数にある解釈のひとつでしかないのだが）、当人以外のメンバーは、その「戦線離脱」問題をなるべく早く解決するか、少なくともコントロール可能な状態にしたいと感じることだ。実際には、この機会をチャンスととらえて積極的に向き合い、当人の考え方を含めて全員の解釈について耳を傾け、戦略をさらに強化するヒントにもできたはずだ。しかし、そうはならなかった。

第7章で学んだように、失敗は許されないというプレッシャーがあると、学びを妨げるような習慣に頼りがちになる。また感情についても「脇に置いておくべき面倒なもの」とみなすようになる。そうすれば最優先事項や「事実」にのみ集中でき、計画が途中で脱線しないですむからだ。

その研修の休憩時、事業開発部長と人事部長がやってきて、進行役の私たちに必死に訴えだした。どうすればあの同僚を新たな未来に導けるだろう？　彼女は幹部のひとりで、戦略策定の「合間に」この研修に参加している。なぜ戦略に前向きに取り組めないのか？

人事部長などは、信じられないというように首を横に振るので、私たちは反射的になぜ彼女は前向きに取り組む「べき」なのかとたずねると、しばらく沈黙が続いた。事業開発部長も人事部長もその理由を答えられなかったのだ。ふたりはジレンマに陥っていた。その同僚を説得すべきか、あるいはそこから何かを学ぼうとすべきか、決めかねていたのである。

あなたなら、このジレンマにきちんと向き合えるだろうか？　自分たちのアジェンダに取り組むことを当然のことのように誰かに要求していないだろうか？　要求することと学ぶことは、まったく別のかかわり方だ。相手に要求したり、説得したりするアプローチは、自分が正しいという考え方にもとづいている。ところが、本当に正しいケースは、第4章で確認したようにめったになく、あったとしてもせいぜい一時的だ。

何かを学ぼうとするなら、試行錯誤することが欠かせない。さまざまな出会いやフィードバックを通して自分の仮説を意識的にこつこつ検証していこうとする姿勢が重要なのだ。第4章では、戦略について、自分たちが学び、その学びによってアプローチを調整していく一連の実験とみなしてはどうかと提案した。つまり真実を探し求めるための終わりなき旅の一環だと考えるのだ。

もし先ほどのエクササイズをあなたの組織で実施したら——身体と比喩の力を使って、特定の状況に対する人々の感じ方やその違いを表面化させようと試みたら——どんなことが学べるだろうか？　自分やほかの人がなるべく多くの学びを得られるようにするには、どうすればいいだろう？

私たちが授業や研修でよく行うエクササイズのひとつでは、一見わかりきった答えがじつは間違っていたという経験をしてもらう。ある参加者（ちなみに、そのときは財務部長だった）の場合、最後の最後まで自分が正しいと確信していたが、ふたを開けてみればそれは大間違いだった。以来、彼は同僚たちにその経験を繰り返し語っているそうだ。「絶対に正しいという自信があっても、間違っている場合もある。そのことを常に忘れず、あらゆる解釈や視点を検討すべきだと気づいた」と。

## 「賛同」にまつわる問題

「エンゲージメント」という言葉は、「賛同を得る」という意味で使われる場合も多い。賛同を得るとは、自分がなんらかのイニシアティブを推し進めることを相手に同意してもらい、積極的に取り組んでもらえるようにするプロセスを指している。

通常、そのプロセスはトップダウンで計画的に行われ、「マイルストーン」や「事業運営上のメリット」なども明確に定義される。このプロセスについてよくある質問は、どうすればほかの利害関係者（とくに、総合的な結果に影響をおよぼしそうな人）から「賛同」を取りつけられるか、またどうすれば経営陣のビジョンを組織全体に浸透させ、社員に自発的に取り組んでもらえるようにできるか、といったことだ。

数年前、私たちのひとりは、世界的な小売業者の事業改革プログラムに協力し、そのプログラムの総責任者のアドバイザーをしばらく務めた。その総責任者は、自分の仕事に情熱を持ち、プロジェクトを心から成功させたいと思っていた。彼女が率いる大所帯のチームの面々も、彼女と同じくらい熱心で有能な人ばかりだった。しかし、アドバイザーを始めてすぐに判明したことは、彼女は綿密な一覧表（スプレッドシート形式）を常に携え、そのプロジェクトに関する自分の「エンゲージメント」活動状況を管理しているということだった。

その表を見せてもらったところ、社内の経営幹部全員が各人別の「ＲＡＧステータス」とともにリストアップされていた。プロジェクト管理の専門用語に明るくない読者のために説明すると、「ＲＡＧ」とは信号機の赤（Red）、黄（Amber）、青（Green）の英語の頭文字を合わせた略語で、目的（この場合は「賛同を得ること」）を達成するための進捗状況を表す。

ここで、あなたの組織で進行中のプロジェクトについて考えてみてほしい。いまこの瞬間、自分が「ＲＡＧ評価」されている様子を想像できるだろうか？　あなたはどう評価されているだろう？

たとえば「赤」信号だったとしよう。その理由は、先日の会議で反論めいたことを口にしたからだ。だがそのことは、そのプロジェクトへの貢献の度合いと関係があるだろうか？

そもそも、もしこのスプレッドシートの存在が知れ渡り、自分および自分の熱意や努力が

「RAGステータス」に置き換えられていると人々が知ったらどうなるだろう?

言うまでもないが、こうした一覧表は、「エンゲージメント」とは他者を説得して賛成してもらうプロセスだという考え方にもとづいている。そこでは、ほかの人たちは「賛成者」か「反対者」のいずれかだ。そのため、自分に反対しそうな要注意人物を割りだそうとするとともに、賛成してくれる人に対しては信頼をさらに確保しようとする。こうしたアプローチはリスク管理には役立つが、学びと変容のための基盤にはなりえない。

## 問題は「エンゲージメント」ではない

じつは問題は「エンゲージメント」ではない。何かに「エンゲージ(関与)」するのは人間本来の性質なのだ。誰でも、精神的にまったく余裕がないとき以外には、常に何かにかかわろうとするものである。その対象は他人(たとえば家族や友人、近所の人)のこともあれば、自分の所属するコミュニティのこともある。

また重要と感じる何かのときもある。要するに、リーダーたちが直面している課題は、人々が「エンゲージ」しないことでは決してない。私たちが100以上の組織を対象に行った調査でもそれがわかる。その調査の質問のひとつでは、自分の組織に対して抱いている感情にもっとも近い言葉を選んでもらった。

30を超える選択肢のなかでとくに多くの人に選ばれたのは「積極的に関与する」「責任をもって取り組む」「誇りに思う」だった。別の質問では、自分の組織における全般的な行動傾向についてトップ5のイメージを選んでもらった。この場合も30以上の選択肢を用意したが、80パーセントの回答者が「序列主義」「コントロール志向」「協調性第一」といった言葉を選んだ。各種の調査結果からも「何かトラブルがあっても、経営管理手法を使って解決できる」という考え方が現在の主流であることがはっきり読み取れる。

だが問題は、マネジャーの数が足りないことではなく、リーダーシップが不十分なことなのだ。序列主義にもとづいたコントロール志向のアプローチは、意欲も能力もある社員が貢献しようとするのをむしろ妨げてしまう。ここまでの内容を簡単にまとめておこう。

●「エンゲージメント」は管理すべき状態とみなされがちで、自分や他人にとって重要なことに関与したいと願う人間本来の状態とはみなされていない。
●相手から完全な賛同が得られないかぎり、「反対された」と誤解する人が多い。
●現代社会は「エンゲージメント産業」なるものを生み出したが、そうした産業が提唱する手法は、自分たちの大義や他者とのつながり、偉業を達成する妨げになりかねない。
●相手を説得することをあまりにも重視するあまり、相手から学ぶことを忘れがちである。

## 哲学から学べることは？

「エンゲージメント」の考え方を哲学的な観点からとらえ直すため、今回はマルティン・ブーバー（1878〜1965年）の思想を学んでみよう。ブーバーはのちにイスラエルに移住したオーストリア出身のユダヤ人思想家で、対話に関する著作で知られている。彼はニーチェやカントの思想に影響されて哲学を学んだが、「哲学者」と呼ばれることは拒否した。自分が興味をもっているのは概念ではなく、個人的な経験だという理由からだ。人間のあり方、とりわけ人間同士のやりとりは、1923年に刊行されたブーバーの著書『我と汝・対話』[※1]のテーマとなっている。

ブーバーによれば、世界と対峙し、世界とかかわりをもつアプローチには対照的なふたつの姿勢があるという。そのひとつをブーバーは〈我―それ〉と呼んでいる。人間は、この〈我―それ〉モードのときには、周りの人や出来事に客観的な観察者としてかかわろうとする。そして意識的にしろ、無意識にしろ、自らの目的を達成するために役立つ知識を吸収しようとし、あらゆることを自らの状況や目的と関連づけて考える。

ここでは他者は、あなたの目的達成の手段でしかない。こうした〈我―それ〉モードにおいては、人間はさまざまな感覚を通してデータを収集し、そのデータを理性が有効活用できるように整理・分類する。そのため、このアプローチを実践するには多くの時間がかかる。

〈我―それ〉は生き残るために絶対に必要だ。ただし絶対にすべきは、単にタスクを完了したり、不具合を修正したり、トラブルを見越して防止策を講じたりすることのみ。自転車のタイヤを選ぶときや、パソコンが壊れてしまって誰に修理を頼めそうかと考えるとき、私たちは〈我―それ〉の領域にいる。要するに、あらゆることを「自分にどう役立つか？」という観点で見ているのである。

世界とかかわるもうひとつの姿勢を、ブーバーは〈我―汝〉と呼んでいる。これは相互関与の関係である。そこでは誰もが積極的な参加者であり、他者と切り離されて生きるのではなく、他者と常にかかわり合っている。他者と出会うときも、相手の一部分だけに目を向けるのではなく、その人をまるごと受けとめようとする。

さらに重要なことに、自分と相手の両方がその出会いによって変化すること。そこには、お互いさまの精神、相互の学びがある。自分の人格を高め、どのような人間として世界に存在したいかを考えるときには、〈我―汝〉の姿勢、つまり他者とかかわろうとする姿勢が欠かせない。

もしブーバーがまだ生きていたなら、多くの組織の現在の「エンゲージメント」の習慣についてどう思うだろう？　少なくとも〈我―それ〉関係とみなすことは間違いない。「従業員エンゲージメント調査」を行ったり、「賛同」を得ることに躍起になることは、それぞれの従業員を自分の目的達成の「構成要素」とみなし、そのコンテキストに位置づけようとする姿勢の表れだ。そういうときに口にされる質問には、組織がめざす方向にメンバーの心を向けたいという意図が混じりがちだ。

「社員たちは組織にどれくらいの〝精神的な投資〟をしてくれているだろう?」「今後も会社に残ってくれるだろうか?」「経営陣への信頼や忠誠心はどれくらいか?」「各人の士気は高いだろうか?」

また「賛同」に関する質問としては、次のようなものがある。「この計画を社員はどう受け取っているか?」「目的を達成する際に、社員たちの見解はどれくらい重要だろう?」「社員たちはどんなスキルや特質や能力を提供してくれるのか?」「このような質問に答えることは、私自身や私の戦略、チームにどんな意味があるのだろう?」

こうした考え方が定着していると知れば、ブーバーは不安にならずにはいられないだろう。ブーバーはその著作において、人々はますます〈我―それ〉の世界に生きるようになっていると警告している。そうした姿勢は生きるうえで避けられなくとも、他者とかかわるときの標準モードになってしまうと、〈疎外〉を引き起こしかねないというのだ。

この問題と、第7章で指摘した「TELL型」のコミュニケーションには共通性がある。何をどう理解し、どんな行動をすべきかをほかの人たちに「教える」ことは、ある種の〈我―それ〉関係にほかならない。そうなれば、人間関係は分断され、互いに疎遠になり、行動は抑制されてしまう。

## 出会いの精神

結局、私たちは少なくとも「エンゲージメント」をいたずらに追い求める姿勢を変える必要はあるはずだ。ここでは「エンカウンター（出会い）」のプロセスに注目し、「エンゲージメント」との違いを考えたい。相手との接触を「出会い」とみなし、相手も同じように考えれば、お互いから学び、経験を共有し、その出会いを成長のきっかけにできる。

一方、「エンゲージメント」を促進するために相手とかかわろうとすれば、自分の意図や目標、そもそもなぜ「エンゲージメント」を促進したいのか、相手をどう説得するかなどを意識してしまう。「社内のエンゲージメントがもっと必要だ」とリーダーが語るとき、もっと積極的に社員に支援してもらいたい対象は通常、リーダー自身のアジェンダである。

しかし「エンカウンター」は、あらかじめ計画するものではなく、（多くの場合は）予期せぬ経験であり、自分が変わるためのきっかけを与えてくれるものだ。

あなたが求めるものが、イノベーションやコラボレーション、あるいは「他者とつながりたい」「自分にとって意義のあることに関与したい」という人間本来の欲求を相手と協力して満たすことであるなら、どうすれば互いに心を開き、相手と「出会う」余地をつくれるのかを理解する必要がある。どれだけ「エンゲージ」しているかにばかり目を向けるのではなく、一つひとつの出会いをかみしめ、よりよいものにしようと努めるほうがよほど意味がある。自分はほかの人々とどのように出会い、相手は自分とどう出会うのか。いまこの瞬間、瞬間が大事なのだ。

ブーバーによれば、〈我―汝〉の関係にあること、すなわちエンカウンターの精神をもつことは人間の本性であり、〈疎外〉の感覚への対抗策になるという。エンカウンターを「互いの存在を認め、耳を傾け合うひととき」とみなしてもいい――ブーバーは、そのひとときは参加者全員にとって変わるきっかけになりうると述べている。

これを職場に当てはめれば、どんな情報を収集でき、その情報をどう活用できるかなどと計算するのをやめ、相手と真に出会おうとすることと解釈できるだろう。もしかしたらその結果、思いがけない何かが生まれるかもしれない。エンカウンターの精神はコラボレーションをもたらし、自分や自分の考えを日々更新するきっかけを与えてくれる。

私たちの同僚のひとりであるメーガン・ライツ教授は、リレーショナル・リーダーシップ（リーダーシップを個人の特性ではなく、リーダーとメンバーの関係性を通して生まれるものと考えるアプローチ）の観点から、「見かけ」と「実質」の違いの問題を指摘している。[※2]

エンカウンターの精神を実践するときには、「そう見える」ことよりも「そうある」ことが重要になる。つまり、相手との関係に実際に参加する必要がある。「その瞬間を生きる」必要があるといってもいい。自分の思考や感情の深みをのぞきこみ、そこに見える景色を相手とも共有する。そうしたプロセスは、特定の能力を鍛えれば可能になるような、静止したプロセスではない。相手との対話の一瞬一瞬からなる継続的なプロセスである。

一方、「そう見える」ことは、あるイメージを意図的に投影することにすぎない。そこでは、学び、変容するためのきっかけは見つかりづらい。むしろ交流の範囲を限られたものにし、その瞬間を100パーセント経験することを難しくしてしまう。私たちの経験からいえば、それこそがリーダーたちがもっとも苦労している課題だ。

「どうあるべきか」というイメージづくりから自由になり、「出会い」がもたらす変化のきっかけを歓迎するのは簡単ではない。「To Doリスト」と未読メールの山に追いまわされる現代のリーダーが、タスクを完了して「済」にしたい衝動にかられるのは当然だろうから。

以前、イギリスのある大企業の幹部を対象にワークショップを行ったときに依頼されたテーマは「関係構築に役立つスキルの向上」だった。私たちはロールプレイ方式の演習を採り入れ、さまざまなシナリオを用意した。参加者たちはそのロールプレイで、自分が完了しなければならないタスクの利害関係者のひとり（プロの役者に演じてもらった）と出会うことになる。その結果、ふたつのことが判明した。

そのひとつは、いかに多くの人がそうした出会いを「取引」とみなすかということだ。つまり、相手を理解しようとするのではなく、「どんなことに役立ちそうか」という観点で相手を値踏みし、協力を取りつけようとする。

そしてもうひとつは、いかに多くの人が自分の態度に後ろめたさを感じて、以後、その相手を避けたがるかだ。こうした傾向について振り返ったとき、参加者から出た意見のひとつは、その出来事はすでに起きたことで取り消すことはできないというものだった。つまり「一度きりの出来事」とか「完ぺきではなかったが、もう終わったこと」とみなし、「ToDoリスト」のタスクと同じように「済」にしてしまう。

しかし関係をもつことは「一度きりの出来事」ではない。終わりのない動的なプロセスである。私たちは参加者たちと、新しいアプローチを採用した場合にはどう感じるかを検討した。そのアプローチとは、自分が直面している感情面の困難を相手と共有し、どのような新しい関係がありうるかを相手とともに模索するというものだ。「見かけ」よりも「実質」に重きを置くように心がければ、人との関係を築き、改善し、微調整していくことは不可能ではない。あらためて内容をまとめてみよう。

- 問題は、エンゲージメントやコミットメントや一人ひとりのプライドにあるわけではない。それらは人間が生きるうえで欠かせないもので、誰でも平常時には備えている。
- 一人ひとりが「エンゲージメント」から「エンカウンター」に重点をシフトする必要がある。つまり自分の心とスケジュールに余裕を設け、思いがけない出会いを歓迎できるようにすべきなのだ。そうした出会いを生むためには、相手に心を開いて、自分という人間を誠実かつ率直に表現すると同時に、相手という人間を同じように受け入れよう。

●ダライ・ラマは「私たちは人間（human beings）であり、単なる作業係（human doings）ではない」と述べている。言い換えれば、対話の一瞬一瞬をおろそかにせず、自分という人間にほかの人が出会い、知り合えるようにすべきだし、自分も相手という人間に出会い、知り合おうとすべきである。

## 出会いの精神を実践するには

今日、組織で働く人はみな、共通の目標を達成すると同時に個人としての成果も上げなければならず、大きなプレッシャーを感じている。そうした状況で、自分の姿勢を「エンゲージメント」から「エンカウンター」へと切り替えることは容易ではないが、不可能というわけでもない。私たちのひとりがコーチングしていたマークは、ある国際的な銀行の幹部で、彼の率いるチームは昨年度の従業員エンゲージメント調査でかなり残念なスコアを残していた。

とりわけスコアが低かったのは、組織戦略と個人的な目標とのあいだにつながりを見出しているかどうかを示す領域だった。この問題はマークの悩みの種になり、年度末に近づくにつれて彼のストレスは増していった。上司たちにも対処の進捗状況を何かにつけてたずねられるようになり、チームのメンバーとの会議にさらに時間を費やすようになった。スカイプを利用した一対一の面談や、全員顔を合わせてのチームミーティング。彼のスケジュールは会議の予定がぎっしりで、「大渋滞」といった感じだった。

コーチングをはじめて間もないころ、マークがこう漏らした。状況を少しでも改善しようと、メンバーと顔を合わせる時間をなるべく増やしているのに……。その結果どうなったかと私たちが聞くと、四六時中会議、会議で、その他の業務の遅れを取り戻すのに必死だと彼はため息をついた。

そこで「エンゲージメント」という概念に対する彼のイメージについて話し合い、こう質問してみた。これまでにほかの人たちと深くかかわり合っていると感じたことはありますか？　あるなら、それはどんなときでしたか？

だが、職場でそうした経験を見つけるのは彼にとって楽ではなかった。話し合いの結果、マークは新たなアプローチを試してみることにした。まず出席する会議の数を3分の1に減らし、考えるための時間をつくった。また一対一の面談は廃止し、もっと自然にメンバーたちとつながれる機会を探すようにした。

たとえば、あるメンバーには新プロジェクトの作業セッションに同席してほしいともちかけ、別のメンバーとはセント・ジェームズ・パークを一緒に散歩した。そうしたことを通して、彼はチームの人々について多くを学んだ――誰もが自分の仕事を愛し、組織に貢献したいと感じていた。また、誰もが驚くほど長い時間働き、彼の知らないうちにトラブルにきちんと対処していた。「エンゲージメント」の問題なんてどこにもなかったのだ！

この期間、彼が行ったのはエンカウンターの機会をつくり出すことだった。スケジュール表の余白という意味だけではない。心の余裕という意味でもだ。要するに、何かを「する」時間が十分にないと感じる代わりに、その場に「いる」ことに集中した。彼は、作業セッションに出席した自分が、以前より人の意見に耳を傾け、自分自身はあまり発言しなくなったことに気づいた。そして、ことあるごとにこんなふうに考えるようになった。「クリスやサムはどう考えてるだろう？　彼らが発言しやすくなるように応援できないだろうか」

ほかの人との「絆」を意図的に深めようとしたり、自分との「絆」づくりを相手に強要したりすることもなくなった。代わりに「エンカウンター」の精神を採り入れ、相手と真の意味で一緒に過ごし、その相手も同じように自分と過ごせるようにした。その影響はきわめて大きかった。コーチングの最終セッションのとき、マークは自分の「エンゲージメント」観の変化について語った。

「エンゲージメント」とは達成すべき目標などではなく、もっとシンプルなこと――目の前の人や物事にきちんと向き合えるかどうか――なのだと気づいたという。この気づきは数字上の変化だけでなく、自分のチームに対する彼の感じ方にも変化をもたらした。彼と彼のチームに、ともに学び、ともに創造する姿勢が根づきつつある証拠だといえるだろう。

私たちは、自分たちが携わる経営幹部向けプログラムを通して、似たような体験談――マークの場合と同じように、「エンカウンター」の力を用いて学びと変容を促進した例――をいくつも見聞きしている。組織におけるさまざまな環境で人々が協力する場合であれ、世界中から集まった50人の参加者を対象にした公開プログラムであれ、「エンカウンター」の力は絶大だった。文化的背景も組織での役割も業種さえ違っても、同じことが言えた。

会ったときは他人でも、去るときには友人として別れる。私たちの目の前でも、有意義な対話が自然に生まれていた。当初はただの個人の寄せ集めだった集団が、何日も経たないうちに「学びたい」という気持ちで固く結ばれた真のコミュニティとなっていく。参加者全員が同じ組織に勤めていた場合にも、素晴らしい話をいくつも聞いた。

たとえば、何年も前から知っているはずの人たちについて、グループ全員の前でこう打ち明けた人もいた（ちなみに、こうしたことが起きるのは夕食の席が多かった）。「大ボスも参加すると聞いていたので、初日はすごく緊張した。でもふたを開けてみたら、彼女も同じ人間だった」戦略部門のリーダーたちは「IT部門の人たちを誤解していた」と語った。相手は邪魔をしているわけではなく、「ぼくらと同じように、戦略を実現するためにベストを尽くしていた」と気づいたという。

同じような話はほかにもたくさん耳にした。人々がただの「ふり」ではなく、真の意味でその場に参加していれば、人間同士のつながりや「エンゲージメント」は生まれる。適切な状況に身を置けば、自然に増えていくものなのだ。

そうした出会いをもたらすために、リーダーはどんな姿勢を組織に定着させるべきだろう？　数多くのプログラムを提供し、さまざまなクライアントやコミュニティと仕事をするなかで、私たちが出した答えを以下にまとめておく。

●**その人とその場に集中する**　誰かと一緒にいるときは、その間ずっと相手に集中すること。ほかのことに気を取られたり、邪魔されたりしないようにしよう。ほかの人やメールもあとまわしだ。相手の話に耳を傾ける時間は十分にある。あなたは単なる「作業係」ではなく、真の意味でその場に参加している「人」なのだから。

●**役割ではなく、人間を大事にする**　役割とは関係なく、素《す》の自分としてその場に参加したい。希望や不安、強みや弱みはすべて共有され、肯定され、支持される。全員が参加する「ふり」ではなく、真に参加すべきである。

●**不完全でいい**　完全な人間などいない。リーダーたちは警戒心を解き、好奇心をもとう。自分にはどんな弱点があるだろう？　ほかの人にどんな影響をおよぼしているだろう？素直な気持ちで自分に向き合うことで悪い癖を直し、もっと自分のためになる新しいアプローチを発見しよう。

**●合意よりも学びを重視する**　学ぶことは、合意を得ることよりも重要だ。自信をもって意見を述べることは大事だが、間違うことは誰にでもある。自分が間違っていて他人が正しい場合もあるし、全員が間違っている場合もある。

## リーダーにとっての学び

ブーバーは、「エンカウンター」の姿勢は私たちが抱える〈疎外〉の問題の解決策、つまり〈我―それ〉関係に陥りがちな傾向の解毒剤になると主張した。この姿勢はまた、私たちが個人として本質的な変容を遂げるための手段にもなる。相手と向き合い、かかわり合うことを通して人は成長するからだ。それでは、こうした考えをリーダーシップに関してどのように実践できるだろうか。

まず理解しておくべきことは、エンカウンターはあらかじめ計画できないということだ。思いがけない出会いだからこそ価値がある。予想外の出来事から学び、恩恵をこうむりたいのなら、心を開いて、その出来事に積極的に参加する余裕をもたなければならない。そのためには、他人や自分の言葉や感情にきちんと向き合い、つながる必要がある。要するに、自分が聞きたいことや聞く準備ができていることにもとづいて取捨選択したり、ねじ曲げてしまったりするのではなく、自他の言葉や感情が表現され、取り消され、表現しなおされるのをそのまま受け入れる必要がある。

またそれは、現在の自分――自分の感情や思考、夢や不安など――を共有することでもある。紋切り型の思考をやめ、ほかの人の反応や考え、さらにはその人が有用かどうかを予測する癖もやめよう。組織化が進み、「取引」思考が蔓延するサイロ型組織においては、相手がどんな人物かを決めつけがちになる。相手を分類し、そのカテゴリーにあてはまる全員に貼るべきレッテルをすぐさまつくり出す。「まったくＩＴの連中ときたら……」「うん、あいつならそう答えるさ。営業担当だから……」といったふうに。

「エンカウンター」は対話を通して生まれる。カテゴリーとカテゴリーの間ではなく、人と人との間にだ。「エンカウンター」のためには、オープンな姿勢と心の余裕が欠かせない。

ここで、また事例を紹介しよう。ジョンは、学習障害のある人が有意義で生産的な職に就けるように支援する組織のＣＥＯを務めている。ＣＥＯに就任する前の彼は、同じ組織のＩＴ部門の責任者だった。ジョンによれば、ＣＥＯになるなど夢にも思わなかったそうだ。

彼がＩＴ部門の責任者だったころ、その組織には５００台のパソコンが90棟の建物に分散して設置されていた。コンピュータのユーザー登録をしている人も７００人近くいた。対するＩＴ部門のスタッフは３人、それもジョンを入れてだ。仕事は山ほどあったし、大半のユーザーはITに精通しているとは言いがたかった。

当時のジョンは、その数年前から、同僚たちに何度もあることを頼まれていた。学習障害のある人物をIT部門でもじかに支援してほしいというのだ。彼はそのたびに断っていた。なぜ断っていたかを、彼のコメントとともに紹介しよう。

- IT部門の役割は、直接的に支援することではない（「俺たちは、ほかの人が支援するのを支援するためにいる」）。
- 自分には、学習障害のある人をじかに支援した経験はない（「具体的なイメージがつかめない」）。
- 新人を引き受けて指導する時間など、自分たちにはない（「仕事が増えるだけだし」）。
- この忙しい部署には、そういった人たちに提供できるスキルなんてあるはずがない（「学習障害があるんだ。貢献なんて無理だろ？」）。

しかし何度断っても同僚はあきらめず、ある日、ジョンにかなり具体的な依頼をしてきた。今回もジョンの言葉を紹介しておこう。

こう言われたんだ。こんな人物がいる。名前はロバート、学習障害がある。熱狂的なカメラおたくで、ガジェットに目がない。ゲームも大好きだ。年齢は21歳、IT関係の仕事に就きたがっている。だけどものすごく内気で人見知りも激しい。健康問題もあるにはあるが、そちらはさほど深刻じゃない。

ロバートを支援するチームに事あるごとに説得され、ジョンはとうとう折れた。「ちょうど組織内のコンピュータ機器をすべて手作業でチェックしなきゃならなかったんだ。電話やカメラといったガジェットを含めてね」そう言った後、その後に起きたことを話してくれた。

ロバートとは、初出勤してきたときにすぐに会い、まず一緒にお茶を飲みにいった。お互いの趣味や興味などを話しながら、彼がどれだけＩＴに精通しているかを理解するためだ。その後、最初の一週間でロバートと信頼関係を築き、彼がシステム監査で使えそうなツールを開発し、担当してもらう監査プロジェクトの詳細なスケジュール（日ごとの詳細レベルまで）を本人と相談しながら立て、近いうちに顔を合わせる予定のスタッフを紹介した。彼は一風変わったユーモアセンスの持ち主で、ＩＴに疎いスタッフにがまんがならない性格らしかった。けっこう気が合うかも——そう思ったよ。

数週間も経たないうちに、ロバートは訪問先で監査業務のかたわら、コンピュータ関連のちょっとしたトラブルを解消するようになった。彼が自信をもてるように、こちらでおぜん立てをしたこともある。だが、それは監査第一週の2、3回だけで、その後は本当にたまたまそうしただけだ。

たとえば、印刷機のシリアルナンバーを記録しているときに印刷トラブルが起きたりとかね。この期間、私はロバートをほかのチームメンバーとまったく同じように扱った。特別なサポートといえば、毎日、朝と午後の2回、彼と話す機会を設けたことくらい（朝はその日の彼の業務を確認するため、午後は進捗状況を話し合うためだ）。あとはその日のランチを誰と食べるかを彼が迷わないようにし（あらかじめ、場所ごとに相手を決めてあった）、緊急の場合に備えて自分のスケジュールも教えるようにした。

5カ月後、監査プロジェクトは無事完了した。ロバートは自信をつけ、ほかの人との交流を楽しんでいた。そこで新しいプロジェクトを任せることになった。各部署のパソコンのOS（マイクロソフトのWindows）をアップグレードしてもらうのだ。今回も必要かつ意味のある業務だったが、難易度は前回より高めだった。私たちは1週間かけて綿密なチェックリストを作成した。さらに、1台のコンピュータをアップグレードする作業をステップごとに説明した「虎の巻」もつくった。その後の2週間、ロバートは予備のパソコンを使って試行錯誤を重ね、チェックリストや「虎の巻」をさらに完ぺきにしたうえで本番を迎えた。

彼のスキルはどんどん向上していった。問い合わせの電話に出るようになったかと思うと、気がつけば、あらゆる分野のサポートを提供し、同僚と冗談を言い合い、そもそもパソコンに近づくべきではない人をネタに大笑いするようにもなっていた。つまり、通常のITスタッフとまったく同じように部署に貢献していたのだ。彼の健康問題が深刻になるときもあったが、少し休んでもらえばなんとかなるようだった。私は彼をIT部門の仲間のひとりとして扱った。社会的な役割という観点でみれば、彼はもう立派なＩＴエンジニアだった。

このエンカウンターは、ジョンとロバートの両方に変化をもたらした。ジョンは、「学習障害のある人」と分類していた相手がじつは有能な人物だったという経験をした。またその人物は、彼の心を動かし、思い込みをくつがえし、新しい視点をもたらす存在でもあった。この経験をきっかけにジョンのなかに、こんな思いが芽生えたという。ただのＩＴ屋にとどまるのではなく、自分が提供しているサービスやその提供先――自分の組織――にもっと深くかかわり、より中心的な役割を果たしたい。現在、ジョンはＣＥＯである。一方、ロバートは自らを単なる「ゲーマー」ではなく、ＩＴエンジニアとみなすようになった。

## 本当の仕事とは

私たちが見聞きした例をもう少しお話ししよう。以前、世界的に有名な小売企業の副社長から「助けてくれ」と電話がかかってきたことがある。自社の事業を今後どのような方向に導くかについて、自分が率いるチームの意見が一致しないという。どうすればチームのメンバーをひとつにし、行動を起こさせることができるだろう？　それもなるべく早くだ。

私たちは、おずおずと（一見、あまり具体的な「解決策」のように思えないかもしれないからだ）ある提案をした。グループのメンバー８人に、６カ月間のコーチングを提供してみてはどうか、と。

コーチングがはじまった。今回は、メンバー間の交流に重点を置くことにした。というのも、そうした姿勢が組織全体に何倍にもなって反映されることを経験から学んでいたからだ。最初のセッションでは、メンバーたちは過去の互いのやりとりを振り返るどころか、やり取り自体があったかさえ覚えていないというありさまだった。自分のKPIを達成することと、相手に求めることを手に入れることに双方があまりにも集中していたからだ。

どのメンバーも、その専門分野——品質管理、サプライチェーン、購買など——では傑出した能力を持ち、常に業務のことを考えていた。しかし3回目のセッションでは、本来の自分を見せる人も出てくるようになった。話題も目標や進捗状況から、自分の弱さや不安などに移っていった。ジェンダーやヒエラルキーや特権などに話がおよぶこともあった。

進行役の私たちは、エンカウンターのための環境をゆっくりと整え、誰もがありのままの自分でその場に100パーセント参加し、周囲で起きることに同時進行で向き合える環境をつくっていった。ようやく流れが変わったのは、さらに数回セッションを行い、その合間に多くの「宿題」に取り組んでもらってからだ。その変化は、サプライチェーン担当部門のトップ、セルジオの発言によく表れている。

みんな知ってると思うけど、はじめはすごく不満だった。なぜこんなことをやらなきゃいけないのか、まったく理解できなかったんだ。どうして「何か」しないんだ？　数字さえ見ないじゃないかってね。こんなセッション、ひとりで空想にふけるのと同じだ。「本当の仕事」をどんどん進めたい——そう思ってた。でもやっとわかった。これが本当の仕事なんだ。リーダーの仕事は、自分たちのつながり方について考えることだ。だから俺たちは、日々の交流の質を高め、維持することに集中すべきなんだ。

## 学びを業務に採り入れる

ここまでの章で取り上げてきたことの多くが、じつは「エンカウンター」の妨げになる。つまり、あなたのコミュニケーションや戦略やエンパワーメントに対する姿勢が問われることになる。もし自分の現在の考え方にあえて挑戦して、職場のさまざまな領域について、問いかけやアプローチや習慣をひとつずつ変えていけば、たくさんの出会いが生まれる環境づくりにおおいに役立つはずだ。

だが、もっと先をめざすこともできる。心を開いて出会いを受け入れられる余裕をつくり出し、ほかの人とつながって志をともにし、偉大なことを実現させていくこともできる。そのためのヒントをいくつか紹介しよう。

### ◎ミーティングの位置づけを変える

●スケジュール帳に書き込んである定例ミーティングの数を半分にしよう（もし可能なら、すべてキャンセルすることを検討してもいい）。

●自分が招集する会議から「アジェンダ」を締め出そう。どんな会議であっても、まずは相手に近況をたずねること（「最近、調子はどうですか？」）。賛同を得るのではなく、ほかの人の見方を理解しようと努め、その理解をもとに考えていこう。

●ほかの人を信頼しよう。誰もがよりよい貢献をするために学ぼうとしている、だから集団としてのパフォーマンスも向上するはず、と信頼しよう。

●もし相手をどうしても信頼できないなら、アジェンダが悪いわけではなく、その人物がもともと適切でないのかもしれない。その可能性についても検討しよう。

**◎出会いの精神を実践する**

●誰かと偶然会ったら、立ち止まって話しかけよう。

●人々と自然に出会える機会を常に探そう。

●相手の肩書や役割にではなく、どんな人かに興味をもとう。

●携帯をオフにしよう。メールをチェックするのもやめよう。

### ◎こんなことを相手と共有しよう

●自分が気づいたこと、自分の感情や考え。
●いま取り組んでいること。
●とくに興味があることや不安なこと。
●達成したい夢。
（以上のことを、ほかの人にもなるべく共有してもらおう）


英国の戦略コンサルティング会社、ＫＫＳのＣＥＯ兼共同創設者であるサキス・コツァントニスと会ったとき、現代組織にはびこる「会議文化」に話がおよんだ。彼はそうした文化を自社には根づかせないと心に決めているという。

「いちばん手軽にハイになれる瞬間を知ってるかい？　カレンダーアプリに招待が届いて、空いてる時間が見つかったときだ。時間を生産的に使ってる気がするからね」

たしかにＫＫＳの状況は、ほかとは少し違うようだ。オフィスに足を踏み入れた瞬間に感じる熱量からして、まるで違う。ガラス張りの会議室はないが、社員は絶えずコミュニケーションしているらしく、少人数のグループでディスカッションする姿や、ふたりで提案を詰める姿もあちこちに見られる。一対一の定例ミーティングを設定することは禁止されている。そうしたものは必要なときにだけ行われる。誰にとっても時間はもっとも重要なリソースだからだ。サキスはCEOとして次のように自覚していた。

儀式的な定例会議は、社員にも業務にも何の価値ももたらさない。むしろ人々をいら立たせて心を閉ざさせる。その結果、同僚やクライアントとのコラボレーションが妨げられ、共通の目的からも引き離される。自分がもたらしたいのは、別の種類の出会いなのだ。「会議を始めるとき、いつもこう考えるんだ。この対話は自分たちをどこに導いてくれるだろう、自分たちは何が学べるだろうってね」同社の社員たちが重視するのは、「注目の会議」に招かれることではない。そこでどんな貢献ができるか、である。

## 「心身合一」の姿勢

研究によれば、心を落ち着けて集中した状態を保てば、注意力が増し、本能的に反応する傾向も抑えやすくなるという。またそうした心身の状態は、現在の対象——他人だけでなく、自分自身も含まれる——に向き合うためにも欠かせない。

目の前の対象に向き合うことに関して直面する課題について哲学者が言及した例は、1641年、フランスの哲学者ルネ・デカルトに遡る。デカルトはその著書『省察』で心身二元論を展開し、精神と身体の分離に関する考察を行っている。彼が出した結論は、身体は思考できないということだった。のちに彼がその考え方を別のかたちで表現したのが、有名な「我思う、ゆえに我あり（Cogito ergo sum）」という言葉だ。[※3]

現代人が教えられてきた人間観や世界観の多くには、ベースにこうした精神と身体の分離（または理性と感情の分離）がある。とりわけ西洋社会では、合理的で認知可能なことに目を向けるように推奨されている。たとえば「頭と心を切り離す」という言葉は、そうすれば自分の感情に振り回されなくてすむのでお勧めだという意味で使われる場合が多い。

だが私たちは頭脳だけで生きているわけではない。身体も同じくらい多くを「知る」ことができる。方法が違うだけなのだ。恋に落ちるときや親しくなれそうな人物と知り合うときがいい例だろう。

人間の身体には、合理的な手段以上に多くを知る能力がある。頭で認識することを優先しすぎると、自分の状態をきちんと——自分の感情に対する身体の反応も含めて——把握しづらくなる。それを適切な言葉で表現するのは難しいかもしれないが、不安や恐怖を感じたときのことを思い出してみよう。まず身体が反応する（例：胸が締めつけられる、鼓動が早くなる）。その後ようやく異変に気づき、何が「原因」かと考えるはずだ。

現代の組織の大部分では、自分の感情よりも考えが共有されがちで、その差は10倍だという。「我思う、ゆえに我あり」のモットーは、精神と身体の無益な分離をつくり出してしまった。私たちのこれまでの経験では、多くのリーダーは認知の領域にいるほうがリラックスするようだ。つまり、自分の感情に気づいて共有するより、合理的に知っていることを話すほうが楽だと感じる傾向がある。

精神と身体を一致させる能力を養うことで、まるごとの自分をさらに注意深く見つめ、感覚的に気づいている内容と合理的な知識とのバランスを取り戻すことができる。ベイン・アンド・カンパニーによる調査には、こうした習慣を身につけたい人に役立つ情報が多く含まれている。[※4] とくに注目したいことは3つある。

**1. まず落ち着く**　あなた自身に100パーセント意識を向けよう。あなたは、どんな呼吸をしているだろうか。どんな感覚や感情、衝動があるだろうか。

**2. 感じる**　身体的な感覚が生じるたびに、どんな感情と関係がありそうか考えてみる。

**3. シフトする**　1、2での気づきに対して、客観的な観察者の立場をとる。

何ごとも慣れが必要だが、大事な会議の前や一日のはじまりなどにこの3つのステップを試してみよう。そうすれば、自分をそれほど見失わずに済むかもしれない――エンゲージメントはそこから始まる。

## 第8章のまとめ

「エンゲージメント」に関していえば、測定すればいいというものではない。種は蒔かなければ育たない。「エンゲージ」する対象は人々や大義であり、達成目標ではない。達成目標に焦点を置けば置くほど、人々はやる気を失ってしまう。リーダーシップとは、特定の結果を出すように誰かを追い立てたり、一人ひとりのやり方をコントロールしたり、新しい手法を受け入れるように説得することではない。

リーダーシップとは、共通の大義を通して人々がつながり、協力し合い、学び合えるようにすることだ。エンゲージメントにこだわる組織は多いが、アプローチが見当違いのことも多い。じつは問題はエンゲージメントではない。人間はもともと本能的に何かに関与し、責任を負い、誇ろうとする。ほかの人や自分にとっての大義に常にかかわろうとするのが人間の本性なのだ。

したがって、リーダーの役割は、ほかの人を「エンゲージ」させることではない。よりよい「エンカウンター」を一人ひとりが経験できるよう手助けすることにある。偏見のないオープンな心で、その出会いを楽しめるように。

## あなたへの質問

1. あなたは同僚の身の上についてどんなことを知っているだろうか。出身地や経歴は？どんなうれしい経験や悲しい経験がこれまでにあっただろうか？　こだわっていることは何か？　もしよく知らないのなら、質問してみよう。身の上について知ることは、その人に出会うことである。

2. あなたが招集する会議について考えてみよう。どんな工夫をすれば、出席者は心身ともに会議に集中し、自分の意見だけでなく感情も気がねなく共有できるだろう？

3. 誰かと会話するたびに自分や他者や世界に対する認識が深まるようにするには、どんなことを心がけるべきだろう？

次の第9章では、私たちが直面する道徳的なジレンマについて考えたい。重要な価値観は、コンテキストによって変わる。企業理念やコアバリューで決まり文句を羅列することから卒業し、自分にとって真に重要な価値観、そしてその対立という問題に向き合おう。

# 第9章 価値観と倫理的多元主義

この章では、企業理念やコアバリューといった価値観には、スタッフだけでなく組織にもよくない可能性があることを、ふたりの哲学者の思想から学びたい。現在こうした価値観は、倫理的な指針や美徳というより、守るべき規則とみなされるようになっている。本章ではさまざまな課題に注目し、道徳的に振る舞うことには、ただ規則を守る以上の意味があることを確認したい。良心的な市民としての責任を誰も負わず、道徳的判断を（価値観というかたちで）他人まかせにすれば、組織にも大きな倫理的リスクが生じる。

事実、組織の価値観が強くなりすぎると、スタッフは道徳的に無力でいることに慣れきってしまう。こうした状況を変えるためにリーダーがすべき仕事は、「神聖な」価値観を定めて共有することではない。正しいことをしようとすれば倫理的なジレンマが生じることを理解し、そうしたジレンマにスタッフが向き合える環境を整えることだ。

ただし、仕事における判断では「善」と「悪」のどちらかを選べばいい、といった単純なものになることはあまりない。むしろ、どちらも「善」で「正しい」場合がほとんどだろう。だからこそ、選択は苦しくて難しい。たとえば「親切」と「正直」を心がけたいと思っても、常に両立できるとはかぎらない。もともと価値観と道徳は矛盾する可能性がある。

では、どうすればこうした倫理的なジレンマを解消できるのか。このジレンマは、組織の価値観に大きな危機をもたらす。そのような危機に対処するには「親切」または「正直」になるためのルールに機械的に従うのではなく、一見矛盾する価値観を両立できそうな方法を見出し、その場に合わせた行動をしていく必要がある。どのような振る舞いが道義にかなうかは、一人ひとりがそのつど発見すべきなのだ。あらかじめ100パーセント定義しておくことなどできない。

ご存じのように本書のテーマは、誰もが人間らしくいきいきと働けるようにすることだ。もし組織のなかに道徳的な自由がまったくなければ、人間らしい職場とはいえない。善悪の判断についての考え方は、人間としての基盤だけでなく、個人としての基盤にもなる。そもそも人には価値観があるが、組織が価値観をもつことはできない。

自社の価値観を定めてしまうとどうなるか。マネジャーたちは良識あるひとりの市民として行動する責任を負わず、自らの良心に照らして行うべき判断を会社の「倫理担当者」まかせにするようになる。その結果、倫理的な無力感が身についてしまう。

## 価値観は自由に選べる

ロンドンの新金融街カナリー・ワーフ。ある有名投資銀行の洗練された玄関ロビーに足を踏み入れると、正面に麗しく飾られた「企業理念」が目にとまる。

●お客様を第一に考えます
●正しいことをします
●卓越した発想をし、積極的にリーダーシップをとります
●恩返しの心で奉仕します

皮肉っぽい雰囲気はいっさいなく、どう見ても心から宣言している。だが後で落ち着いて考えると、なんとなく違和感があった。いくら善意にもとづいた誠心誠意の誓いでも、あまりに陳腐でおめでたくはないだろうか。もし正反対の価値観が提唱されていたらどうだろう？

●お客様は後まわしにします
●正しくないことをします
●ありきたりの発想をし、積極的に誰かに従います
●見返りはきっちりいただきます

もちろん、こんな想像をすること自体ばかげている。それでは、前述した「良識ある」価値観の宣言についてはどうだろう？　わかりきったことを述べているだけだ。つまり、この銀行ご自慢の「企業理念」には、とくに大きな意味はない。他社の状況も似通っていて、空虚なモットーが多い――といったら言い過ぎだろうか？　いくつか例を挙げておくので、あなた自身で判断してみてほしい。

●「ベスト・ピープル」（アクセンチュア）
●「Genuine 真摯な」（アドビ）
●「正しいことをします」（アメリカン・エキスプレス）
●「期待を超える（Outperform）」（オネストカンパニー）
●「責任を担い、委任する」（イケア）
●「正しいことをしよう（Do the right thing）」（ナイキ）

最低の人材を雇いたい企業などないし、失敗や期待外れの結果をあえて望む企業もない。では、どうして言わずもがなのことをこれほど強調するのだろうか？　いい仕事をするためには欠かせないと社内の誰もが知っていることを、ここまで大げさに騒ぎ立てる必要があるだろうか？

ビジネスにおいて、凡庸よりも秀でているほうが好ましいのは言うまでもないし、どんな仕事も責任を伴うに決まっている。成功するには革新性はある程度必要だろうし、他者とコラボレーションする能力もあったほうがいい。信頼や誠意、正直さが基盤になるのも、どんな協力関係でもあたりまえだろう。

問題は、こうした崇高な理念があまりにもお粗末に定められ、どのようにも解釈できるため、従業員の助けにはならないことだ。言い換えれば、こうした価値観によって評価されると知ったところで、少しも意欲がわいたり、注意深くなれたりはしない。

それだけではない。昔からずっと尊重されてきた多くの価値観には、ほぼまったく触れていない。そうした価値観は、人間らしい職場づくりと密接なつながりがあるはずなのに。

●たとえば、昔から西洋において、4つの主要な徳とみなされている「四元徳」（知恵、勇気、節制、正義）のうち、多少なりとも目にするのは勇気しかない。

●高潔さ、親切心、慈悲、忍耐、謙虚さ、寛大さなどが挙げられるケースは、不思議なほど少ない。

●「楽しもう」といった考え方が含まれることはある――ただし、どういうわけか順番は必ず最後で、文末には「!」マークがついている。まるで、ちょっとしたユーモアでつけ足してみました、と言わんばかりにだ。

●大げさな表現につきものの「照れ」はいっさい感じられない。

逆に、自社の意図をきわめて個性的かつユーモアたっぷりに表現しているケースもある。

●「スーツがなくても真剣に仕事はできる」(グーグル)

●「楽しさと、ちょっと変わったことを創造しよう」(ザッポス)

●「多様性を大切にクマ(Di-bear-sity)、協力しようクマ(Colla-bear-ate)、お祝いしようクマ(Cele-bear-ate)」(ビルド・ア・ベア)

●「邪悪になるな」(グーグル)

こうした表現は微笑ましく、「崇高なたわごと」と受け取られかねない主張の深刻さを和らげる。さらに、次に挙げるものは、ほかにはない気高い志を表している。

●「コミュニティを築く（Building communities）」（フォーシーズンズ・ホテルズ&リゾーツ）

●「地球上のあらゆる人にサービスを提供する（Reaching every person on the planet）」（ツイッター）

●「立場の弱い人たちが経済的なチャンスを作り出せるようつとめ、持続可能な経済的フェアネスの新しいモデルをめざします」（ベン&ジェリーズ・アイスクリーム）。

おそらく問題は、その宣誓がどれだけ真摯なものであるかだ。言葉と現実のギャップがどれだけあり、目的を実現できる見込みはどれくらいあるのだろう？

## 価値観を明らかにすることで解決できる問題とは？

問題はそれだけではない。哲学者たちもおそらく同じことを指摘するだろうが、価値観を表明したところで、経営幹部があらゆる倫理的な問題に対処できるわけではない。ビジネス上とくに重要な道徳的な判断は、複数の価値観がせめぎ合うジレンマのかたちをとる場合が多いからだ。

もちろん、そうした判断が善と悪の二択ですむケースもあるかもしれない。その場合は、ごく一般的な価値観の表明でも十分だ。とくにルールを破ったときに罰が科されるようなら、それで問題ないだろう。だが、ビジネスで必要とされる道徳的な判断のなかには、一筋縄ではいかないうえに、明確な対応が求められるものもある。それは、複数の「いいこと（善）」から取捨選択しなければならない場合だ。こうしたジレンマは、対立するふたつの倫理観のかたちをとる場合が多い。たとえば「透明性」と「プライバシー」、「競争」と「協調」、「正直さ」と「礼儀正しさ」、「勇気」と「安全」といったように。

> 自社の価値観を明らかにし、それをスタッフに強制する組織と、倫理的な葛藤があることを認め、その葛藤に向き合う組織――倫理的に誠実なのはどちらだろうか？

あたりまえのことをわざわざ言ったり（悪い例：「正しいことをします」）、曖昧にならずに（悪い例：「誠実に行動します」）意味のある価値観を表すためには、倫理規範にはもともと多様な価値観が含まれていることを認める。そのうえで社内でジレンマが生じたときに経営幹部がそれに気づき、検討し、対処しやすくなるように配慮しなければならない。

## かくいう私たちも……

私たち4人のうち3人が勤務するロンドン・ビジネススクールでは、「世界におけるビジネスのあり方と、ビジネスが世界に影響をおよぼすかたちに重要な貢献をする」ことを目標に掲げている。この目標についても、ほかの組織のミッションステートメントの場合と同じだ――善意を誠実に表しているのかもしれないが、疑問が残る。

たとえば、私たちの振る舞いを決めるのは、わが校の誰かが全員を代表して考案し、従わせようとする、スケールの大きい志なのだろうか？　それとも、私たち一人ひとりが、個人としての倫理観をきちんと確立していて、どんな倫理観を採用すべきかを他人に教えてもらう必要などどないのだろうか？

あなたの会社の企業理念やコアバリューは、そこで働く人が「自分たちの行動を評価する基準にしてほしい」と思うような主体的な基準だろうか？　それとも、そこで仕事をしたければ従うべき倫理的な義務なのだろうか？

あなた自身は、この手の道徳的な指針にどんな反応を示しているだろうか。「苦笑い」と「敬愛」ではどちらだろう？　「うんざり」と「わくわく」では？　「服従」と「反発」では？　どんな反応をするかは、その価値観が打ち出された意図（とあなたが思う内容）にもよるだろう。たとえば、投資銀行の玄関ロビーに掲げられていた前出の「企業理念」の場合、経営陣はどう考えていただろうか。

1. 自分たちが掲げる理想であり、自分たちの行動を評価する基準にしてほしいもの？
2. 戦略的な意図をもった強みのアピール？
3. 過去の過ちに対する反省や謝罪？（ちなみに同行は、２００８年に発生した世界金融危機の「主犯」のひとりに数えられている）
4. そうした過ちを非難する人々に対する自衛手段？
5. 上記すべての組み合わせ？

## 価値観を表明するメリット

企業が価値観を明らかにすることは、世間一般では重要とみなされている。また良心的な企業ならどこでも、社員が個人的な目標だけでなく、社内共通の目標も達成できるように、なんらかの指針を提供しようと思うだろう。自社の価値観を明らかにすることで、企業としての個性もいっそう明確になる。ミッションステートメントと連携させれば、達成したい目的をさらに伝えやすくなるはずだ。自社の価値観を打ち出すメリットとして挙げられる理由はおもに4つあり、それぞれ裏づけとなる哲学理論が存在する。

**1. 一定の枠組みを設ければ、社員はその範囲内で自由に振る舞える**　これに関連する哲学理論には「消極的自由」の概念がある。簡単にいえば、真の自由とは他人からあれこれ指図されることなく好きなように行動・選択できることだという考え方だ。哲学者アイザイア・バーリンは次のように説明している。

「消極的自由は、『ある人または集団が、他人の干渉を受けずに意のままに振る舞える範囲とは？』という問いの答えと関連がある」[※1] つまり、価値観を表明することで、自由に振る舞える範囲とそうでない範囲の境がはっきりする。

**2.「社会契約」を文面にすることで、組織のメンバーが一致団結しやすくなる**　こうした社会契約は、どんな社会やコミュニティ、企業にとっても繁栄するための基盤として欠かせない。ルソーは、市民が利己主義者だと真の利益を追求できないため、集団として協力し合い、共通のルールや価値観を全員で責任をもって定め、それに従う必要がある、と主張した。そして、その理想を次のように表現している。

「われわれの一人ひとりが、身体とすべての能力を共同のものとして、一般意思の崇高なる指令のもとにおく。同時に、共同体の各構成員を分割不能な全体の部分として受け入れる」[※2]、という価値観を表明することで、この「一般意思」とは何かを明確にできる。

**3. 全員に守ってもらいたい規範を定める**　めざす理想や完成した姿が具体的になれば、それが組織のメンバー全員にとっての倫理的な指針となる。この典型がカントの定言命法だ。カントは「君の行動原則が、常に誰もが従わなければならない原則として妥当するように行動しなさい」と述べている[※3]。基準を設定している、といってもいい。この前提には、誰もがそうした基準を意志の力で満たせるはずという考え方がある。

**4. 自分たちの行動を評価するのに用いてほしい基準を広く世界にアピールする**

## 価値観の選択は「メニュー選び」と同じ？

自社の企業理念やコアバリューをうたわない企業は現在ではまれだ。どんなビジネスにも「ヒポクラテスの誓い」（医師が実務に就くときに行う職業倫理に関する宣誓）に相当するものが必要だといわんばかりの大流行である。だが50年前は、こうした宣誓をするほうがめずらしかった。19世紀から20世紀初めにかけて創業された多くの同族企業、とくにクエーカー系の偉大なる企業（チョコレートで有名なキャドバリー社やラウントリー社、靴メーカーのクラークス、バークレイズ銀行、保険会社のフレンズプロビデントなど）がいい例だろう。こうした企業は、原則などいっさい明示されなくてもおおいに繁栄していた。では、どんなテクニックを使っていたのか？　自らの信仰や信念に従っていただけだ。

それでは、企業はどうして急に倫理原則を宣言し、社員全員がそれを守るべきだと考えるようになったのか。社内における倫理観が低下し、それに伴って業績も低下したからだろうか。あるいは逆に、倫理観が向上し、経営幹部が目標を道徳的な手段で達成することを、いっそう心がけるようになったのだろうか。

皮肉なことに、価値観の表明がこれほど広まっているわりには、ビジネス慣行がこれまでより倫理的になったとは思えない。いつの時代も言うは易く行うは難し、だ。むしろ、道徳規範について語る時間と道徳的に振る舞おうとする努力は反比例しがちだろう。ラルフ・ウォルドー・エマソンはある知人についてこう述べている。

「自らの誇りについて声高に語る客ほど、こちらはスプーンの数を確認したくなる」[※4]

価値観の表明が広まるにつれ、言葉の使われ方もいくぶん変わってきた。英語で「価値」や「価値観」を意味する「value」は、もともとは対象となるものの意義や有用性を表す名詞として単数形で使われていた。たとえば、なんらかの行動（協力や助け合い、勇敢な振る舞いなど）の意義を語りあうときや、特定の資産（土地や建物など）が役立つかどうかを検討するときの用語だった。

しかし現在は、複数形で使われることが増えている。「価値観」とは個人や組織に属するもので、各人や組織の信条や理念、姿勢などを端的に表したものとされる。私の価値観はあなたの価値観とくらべられ、A社の価値観はB社の価値観とくらべられる。価値観の選択が、まるでファッションの選択と同じかのように。

巷にあふれる「価値観」から好きなものを選ぼう。自分の人徳が判断される基準は自分で決めればいい。要するに、価値観は商品化されてビジネスの対象となり、自分好みにカスタマイズされてほかと比較されるようになった。かつて価値観はもっと絶対的な徳の世界に存在していたが、いまはそのような絶対的な基準を失っている。

自社の倫理観に沿うように戦略を定めるというより、価値観を戦略に役立てようとする傾向が見受けられる。私たちは価値観を、倫理的な制約があるなかで選んだ自社の戦略とはみなさず、一種の強みとみなす傾向がある。

自社の価値観を選ぶとき、企業は戦略的に選んでいる。「どんな市場に参入するか」「どの商品を発売するか」という選択とまったく同じように、である。絶対的な基準や伝統的な道徳規範はほとんど考慮せず、判断基準は「役立つかどうか」しかない。もし自分たちの目的になっているなら、その価値観は「適切」となる。その逆についても同じことがいえる。実際のところ、自社を倫理的にどう位置づけるかは、現代の企業の競争戦略やマーケティングミックスの要素のひとつとなっている。

かつて徳とは、気軽に選ぶメニューのひとつというより、長い時間をかけて身につける習慣に近いものとみなされてきた。たとえばアリストテレスは、倫理についての著作でこう述べている。

「正しい人になるには正しいことを行うべきであり、節度ある人になるには節度あることを行うべきである。こうしたことを行わないかぎり、どのような人であろうといい人間になれる見込みすらない[※5]」

だからこそ道徳的な人生を送る人はまれで、称賛・尊敬されるべき存在だった。美徳とはこつこつ努力してはじめて身につけられる習慣であり、各人の気質に近いものだった。ただのライフスタイルの選択や一時的な流行でも、目的を達成するための手段でもなかった。

「価値観」と「美徳」の語感の違いは、「個性」と「人格」の語感の違いに似ているように思える。「徳」という言葉を使うのが大げさすぎて照れくさいように、誰かについて語るとき「人格」という言葉を使うのも少し古くさい気がする。しかし、スキルや個性の評価なら比較的気軽にできる。とくにコンピテンシー適性検査のような疑似科学的なかたちで表される場合はそうだろう。

一方、相手の徳や人格を評価するのは、気が引ける人が多いのではないだろうか。しかし、企業のパフォーマンスにおよぼす影響の度合いを考えると、間違いなく価値観よりも美徳、また個性よりも人格のほうが重要だ。アメリカのジャーナリスト、ジョージ・ウィルは最近、こんな指摘をしている。

政治的なコンテキストや倫理的なコンテキストで「価値観」という言葉が「徳」の代わりに使われるようになるにつれ、社会のモラルは低下するようになった。善悪を語ることから一歩前進し、美徳や悪徳といった決めつけを卒業したわれわれは、薄っぺらな価値観談義をするしかなくなっている。[※6]

## 倫理的なジレンマの源

第二次世界大戦のまっただなか、イギリスでの話だ。ある上級公務員が、自分のオフィスで働く秘書たちにつらい決断を発表した。たったひとりのために全員を解雇するという。かねてから機密情報が敵側に漏れていることが問題になっており、そのオフィスには明らかにスパイがいた。スパイを特定しようとあらゆる手を尽くしたが、誰かわからない。その間にも兵士たちは死んでいき、イギリス軍の戦略も水の泡となっていく。これ以上情報が漏れないようにするには、全員を解雇するしかなかった。重大な決断ということは承知のうえだった。いったん解雇処分になれば、政府機関では二度と働けない。汚名も一生ついてまわる。だが彼は、そうすることが正しいという結論に至った。

多元主義の考え方によれば、私たちが直面するこうした倫理的なジレンマは、善と悪の選択ではなく、一見相容れない複数の「正しいこと」から取捨選択しなくてはならないことに原因がある。つまり、なんらかの美徳と別の美徳の価値を比較せざるをえなくなるわけだ。しかし、「いい生き方」は一通りではない。すべての人にとって最善の美徳などない。キリスト教の謙遜、仏教の解脱、古代ギリシアの詩人ホメロスが叙事詩にうたったような勇気、アリストテレスの中庸、カントの義務、マキャヴェッリの狡猾さ。すべて道徳的に正しい美徳だ。これらを比較して順位づけできるような、永久不変の視点などない。

こうした考え方をもっとも雄弁かつ声高に支持したのが、アイザイア・バーリンだった。バーリンは、前述のケース——大戦中に自分の秘書全員を解雇した上級公務員のケース——についても詳しく知っており、大きな影響を受けている。彼はその選択は正しかったと考えていた。だが同時に、倫理的に擁護できる別の選択肢もあったかもしれない、たとえば、何もしないこともそのひとつだろう、とも述べている。

倫理的なジレンマは、どんな選択でも生じかねない。何かしら不公正なことを見過ごせないときに生じるからだ。こうした傾向は、とくにビジネスのようなプレッシャーの高い状況では強まる。しかし、正しいことをしようとすれば、後悔するほど非道な振る舞いをしたり、取り返しのつかない弊害を生じさせたりせざるをえない場合も多い。

バーリンは、意思決定に備わる、こうした基本的な性質を否定してしまえば、人生の複雑さや神秘性、多様さを失いかねない、と説いた。しょせん道徳規範とは、規則を守るとはどういうことかを表したものでしかない。哲学者の掲げる道徳理論が、実際の道徳的経験と矛盾するようなら、理論のほうを捨てるべきだと彼は信じていた。

バーリンは、あらゆる種類の神義論——道徳規範を正しく理解することで、全体の調和がもたらされるといった考え方——を否定した。同様にバーリンは、啓蒙主義的な理想——人間の理性が、人と人とを隔てるあらゆる障壁を取り去り、いつかひとまとまりの調和した文明をもたらすという概念——に反対した。そんなことは実現が難しいというより、でたらめに近いからだ。

人類はこれからも進歩しつづけるという歴史観を彼は毛嫌いしていた。というのも、ロシア革命を目の当たりにした子ども時代の体験から、必然的な進歩をうたう理想論に人間がいかに簡単にだまされるかを身に染みて知っていたからだ。このような啓蒙主義的な理想の犠牲にされた人命は、ほかのどんな大義を掲げられたときよりも多いかもしれない、とバーリンは指摘している。特定の結末だけを神聖視し、抵抗する動きがあれば「非合理」とか「偏見がある」というレッテルを貼っているようなら、悲劇が起きる可能性は大きい。

形容しがたいほどの戦慄を感じるのは、一定の人々が、自覚しないままに、ほかの人々をみだりに弄んで「矯正」し、思い通りに動かそうとしていることだ。その結果、そうした人々は、自由な人間としての自らの地位も失う。人間でさえなくなる。[※7]

## バーリンの価値多元主義

バーリンは、なんらかの成熟した倫理規定に従う人は誰でも、理性だけではどうしようもない倫理的なジレンマを抱えることになると信じていた。また、一人ひとりが複雑な道徳規範を備えているため、そうした道徳規範から生じる価値観や理想も多元的で矛盾せざるをえないとも考えていた。つまり、バーリンの考えによると、あらゆる価値観が完ぺきに調和するような理想の状態などありえないということだ。

ただし、この「通約不可能性」と呼ばれる状態は無関心を促すものではない。現代版バーリンともいえる哲学者ジョセフ・ラズはこう指摘している。

「通約不可能性とは、メリット（あるいはデメリット）には等しい価値があることを保証するものではなく、無関心のあらわれでもない。理性のみで意思決定をすることができないという意味であり、それぞれの選択が重要ではないという意味ではない」[※8]

バーリンは、多元主義を擁護すると同時に一元主義に対抗するため、3つの主張を行っている。

1. **どんな道徳規範にも対立する価値観が含まれている。**このことは時代や地域を問わず、共通している。たとえば現代の自由主義社会においては、自由と平等、公平さと福祉、正義と慈悲といった対照的な価値観が共存する。ふたつの価値観の対立をとりなせる「さらに重要な価値観」などは存在しない。

2. **こうした価値観はいずれも、それ自体に矛盾をはらんでいる。**たとえば自由と平等のどちらにも派生形がたくさんあり、それぞれがいっさい矛盾しないわけではない。たとえば、「知る自由」は「プライバシーの自由」を侵害しかねないし、「機会の平等（均等化）」と「結果の平等」（すべての人に同じだけ資源を分配するのではなく、分配後に格差がなくなるように資源の分配を調整すること）も一般的には両立しない。

3. **こうした道徳規範は各文化にすでに組み込まれていて、それぞれが独自のライフスタイルを体現している。**つまり、それ自体で完結した固有のものであるため、別の道徳規範と組み合わせることは簡単ではない。

以上のような理由から、価値多元主義においては、私たちの根底にある価値観を、客観的ではあってもひとまとめにできないほど多様であるとみなす。この概念を組織づくりに当てはめると、「あらゆる誠実な理想を達成する、完ぺきな組織をつくることは可能」という発想がただおめでたいというだけでなく、荒唐無稽だとわかるだろう。職場では、あらゆる人の私生活と同じように究極の選択を次々と迫られる。理性だけでは答えが出ない場合もあれば、どうしても誰かを傷つけざるをえない場合も多い。

では、こうした状況のなか、私たちに何ができるだろうか？　多元主義的な世界でリーダーとしての責任を果たすためにはどうするべきだろうか？

## 多元主義を実践する

ここでひとつ事例を紹介しよう。この企業は半世紀にわたり、価値観が多様であると理解し、一見矛盾する倫理規定に誠実に向き合おうとしている。

フランスの化粧品メーカー、ロレアルには、長年インスピレーションの源になっている信条がある。それは「*À la fois poète et paysan*（詩人であると同時に農夫であれ）」だ。この表現を最初に使ったのは、１９５７年から１９８３年まで会長兼ＣＥＯを務めたフランソワ・

ダルだった。

ダルは、ロレアルが成功するためには創造性と実直さというふたつの美徳を兼ね備える必要がある、という先見的な考えを抱いていた。彼にとって、創造性あふれる詩人とは、世界を新鮮な目でみつめて美を追求し、夢みる機会を自分に与えて新しいことに挑戦し、これまでとは違う解決策に目を向ける人だった。一方、実直な農夫とは、常識を大切にし、無駄遣いはせず、伝統を尊重し、単純明快を心がけて身の丈をわきまえる人だった。

一見矛盾するふたつの価値観を両立させようとする、このような勇気ある姿勢が、ロレアルの驚異的な成功の裏にはあった。同社の社員は、この信条にきわめて真摯に向きあっており、詩人と農夫の対話を続けることは社内でいまなお推奨されている。そうした議論や討議を行い、なんらかの解決策を見つけるためだけの部屋も用意されている。スタッフを採用するときも、この信条と適合するかを必ず考慮するという。対話や議論を通して互いに学びあうことだけが、ジレンマの両極を尊重し、ある意味では二元性を解消する手段になりうると同社の人々は信じているからだ。

ロレアルの企業文化とこの点で似ているのが、ジャック・ウェルチがゼネラル・エレクトリック社（GE）のCEO時代に打ち出した「ワークアウト」と呼ばれるイニシアティブだ。無駄な仕事（work）を追い出す（out）ことで業務の簡素化をめざすもので、いまもGE社内で活用されている。「ワークアウト」では、通常は経営陣だけの「聖域」になりがちな業務デザイン面の課題に、現場のスタッフも共同で取り組むように系統的なしくみを通して推奨する。つまり、「詩人」の声を「農夫」に届けるためのGE流のアプローチともいえる。このしくみについてウェルチ自身はこう述べている。「社内の人々を信頼しよう。業務を改善するための最適なポジションにいるのは、その業務に毎日携わっている人々なのだから」[※9]

「ワークアウト」がなぜ効果的かといえば、ある業務を改善しようとするなら、その業務をいちばんよく知る現場の知恵を借りたほうがよいからだ。彼らはその業務に毎日じかに携わっていても、意見や提案を求められることなどなかった。「ワークアウト」のセッションでは、ロレアルの対立の文化の場合と同じく、すべての利害関係者のあいだで率直な議論が行われることが期待されている。

オープンで活発な議論をためらう企業は多い。ロレアル流の対立はふつう、意味のない妨害とか協調性のなさとみなされる。忠誠心が欠けている証拠ととらえられる場合さえある。その結果、真実よりもうわべだけの礼儀正しさが優先され、意見が違っても表面化することはなく、その相違に対処することもない。

しかし、もしビジネスにおけるほとんどの問題が解消すべきジレンマを伴うとすれば、オープンな議論は欠かせない。ちなみにカール・ポパーは、建設的な議論とは、お互いに相手の主張をきちんと理解しようと努めるだけでなく、自分の案のメリットを主張する前に、相手の案を補強できないかと考えるものと定義している。そのためには、自己中心的な視点から抜け出す能力と、自分の意見を考えるとき、まず自分以外の視点で状況を眺めようとする感情指数（EQ）が重要になる。

## 倫理的なジレンマと中庸

企業の戦略的なポジションは、その企業がとくに扱いにくいと感じるジレンマを通して説明できる。典型的なものを挙げてみよう。

- 短期的な視点 vs. 長期的な視点
- スケールメリット vs. シンプルさとスピード
- 株主の利益 vs. もっと広い意味での利害関係者の利益
- 顧客の利益 vs. 従業員の利益
- 階層型の業務運営 vs. ネットワーク型の組織構造（特定のリーダーや上司をつくらずにチーム全員でアイデアを出し合い、ひとつの仕事をしていく形態）
- 変化 vs. 継続
- 自部署の成功 vs. 他部署との連携

パーシー・バーネビックは、アセア・ブラウン・ボベリ（ＡＢＢ）のＣＥＯだったとき、巨大企業の多くが直面する挑戦を次のように表現している。

「われわれは、グローバルでローカル、大きくて小さい組織でありたい。徹底的に分散化しながらも、報告や統制に関しては中央集権的でありたい。こうした矛盾をなくせれば、組織として本当の強みをつくり出せるはずだ[※10]」

バーネビックは、リーダーが直面する価値の多元性や二元性のジレンマを直感的に理解し、組織モデルの選択肢のひとつ、分権的組織にはメリットもデメリットもあると理解していた。そこには、起業家精神を開放するきっかけがあるかもしれないが、組織の分断化のリスクもある。また、部署を超えて協力し合い、シナジーを生む機会が無視される恐れもある。

## ジレンマに対処する

あらゆるジレンマは、こうした一見解決できない問題をもたらす。対照的な価値観があるとき、どちらからもデメリットを被らず、両方のメリットだけを享受するにはどうすればいいだろうか？　こうした難問に直面すると、ふつう次のようなかたちでそのジレンマを回避してしまう。

●先延ばしする——ジレンマなどない、したがって、抜本的な決断をしなくてもよいと自らをごまかし、その場しのぎの対処をする（先延ばし作戦）。

●どちらか一方を意図的にひいきにする——「これがわが社のスタイル」などともっともらしい言い訳をし、一方の価値観にやたら肩入れする（色メガネ作戦）。

●時計の振り子のように両極端な態度をとる——その時々の気分や状況によって、または危機が訪れてパニックに陥るたびに、姿勢をころころ変化させる（振り子作戦）。

●一方の選択肢が、もう一方の選択肢に譲歩せざるをえなくなるまで待とうとし、結局は早まった選択（＝勇み足を踏む）か遅すぎる選択（＝チャンスを逃す）をしてしまう（待機作戦）。

●選択肢の中間を取るために、一方の犠牲を他方で埋めあわせする（妥協作戦）。

どんな企業にも独自の行動バイアスはある。その多くは、自社の歴史やリーダーたちの経験にもとづいていて、自社や自身の成功のカギとなった方針や心がけだ。ただし成功するかどうかは運の要素が大きいため、リーダーが知る「必殺技」はふつう、ひとつしかない。それはコスト管理かもしれないし、トヨタ式「カイゼン」かもしれない。あるいは、総合的品質管理（ＴＱＭ）やアウトソーシング、事業買収、金銭的インセンティブの提供、リーン生産方式といった「マネジメント版特効薬」かもしれない。いずれにせよ、彼らは、いつでも、どこでも、どんな場合でも、そのやり方を選ぶ——効き目ばつぐんの処方箋として。

ときには、その処方箋が経営面のスローガンとしてアレンジされ、株主利益の向上、お客様第一主義、企業の社会的責任などに変身する。また自社の「コアコンピテンス（競合他社には真似できない核となる能力）」と呼ばれることもある。ここでの注意点は、そうしたこだわりによって、パフォーマンスが失速しやすいことだ。いわゆる「成功による失敗」（別名「イカロスの翼症候群」）というものだ。限度を超えた野心や思いあがりは、勇敢なリーダーを無謀な行動に走らせる。自分の運のよさを過大評価して「不都合な真実」は無視してしまうからだ。

自らの「必殺技」やモットーが不適切になる瞬間に気づくリーダーはあまりいない。むしろ、状況が悪化するほどむきになりがちだ。また、そうしたときほど自分の知っている範囲にとどまり、メンバーの団結や忠誠心がいかに大切かを強調するようになる。状況があまりにも厳しくなってようやく冷静になり、残された選択肢は抜本的な方針転換しかないと気づく。

ただし、たとえリーダーが交代しても、同じ誤ちを繰り返すだけのケースも多い。方向が正反対なだけで、カルマは続いていく。じっさい、周期的に業績の浮沈を繰り返す企業の多くは、根底にあるジレンマにきちんと対処せず、その場しのぎの問題解決策に頼りすぎる傾向がある。

「ジレンマ」は、古代ギリシア語で「ふたつの前提」という意味がある。現代でもジレンマに陥ることを「板挟みになる」という。つまり困難な決断には、こうした状況がついてまわる。もしジレンマをもたらす要素の一方だけを必要以上に優遇すれば、冷遇したもう一方に不意打ちをくらう可能性も高い。

こうしたジレンマを解消しようとすると、私たちはそれを選択問題だと思いこんでしまう。そして、対立する価値観のどちらかを選ばなければならないと考える。だが、それ以外の方法は本当にないのだろうか。相反するふたつをもっと尊重する方法は？　どちらかの側につけたり、優先順位をつけたりするのではなく、両方の美徳を組み合わせながら、矛盾も解消できないのだろうか？

働きがいのある職場では、倫理的なジレンマが業務のなかで生じることは当然だと考え、職場のメンバーをこうしたジレンマをともに解消する仲間だとみなす。

# 対立する価値観を調和させるには

第一級の知性であるか否かは、その知性が、対立するふたつの概念を同時に抱きながら、必要な機能を果たせるかどうかでわかる。

F・スコット・フィッツジェラルド※11

価値多元主義の世界でマネジメントするとは、具体的にはどういうことか。価値観の対立に合理的に対処するにはどうすればいいだろう？　ケンブリッジ大学ジャッジ・ビジネススクールの経営学者チャールズ・ハムデン＝ターナーが提案する手法では、ジレンマの両極にある要素を、それぞれが調和できる場を見出すヒントとみなす。

たとえば「秩序」や「統制」といった官僚主義的な美徳を、「活力」や「学び」といった創造的な美徳と調和させたいとしたらどうだろう？　官僚主義は閉塞感や無気力さを伴いがちだ。逆に学びの姿勢は、無秩序なカオス状態を引き起こすかもしれない。その度合いがあまりにも大きければ、肝心のメリットが得られない恐れもある。また学びには試行錯誤がつきものだが、官僚主義では「一発合格」のほうが喜ばれる。こうした対照的な価値観を組みあわせて、両方のメリットを活かせないものだろうか。

「調和」という概念は「妥協」とはまったく違う。というのも一方の美徳を実践するメリットを増やすために、もう一方の力を借りるからだ。たとえば、学びのアプローチをさらに系統だったものにしたり、統制のアプローチをもっと自由で好奇心あふれるものにしたりする。

もう少し具体的な例を挙げるなら、組織としての自分たちの学びの度合いを測定し、競合他社と比較する方法を経理部に提案してもらう、研究開発部門に依頼して、組織リスクを測定する基準を再検討してもらう、などが考えられる。要するに重要なのは、秩序と遊び心、合理性と創造性、安定感と革新性などをこれまでとは違う方法で組みあわせることだ。これは新たなことに挑戦するという美徳を実践することにもつながる。

いわゆる「回り道の原則（oblique principle）」がこの場合に当てはまる。つまりAとBという価値観が一見対立しているとき、Aに対してもっとも誠実な方法とは、どうすればBによってAが補強できるか（または、どうすればAによってBが補強できるか）を考えることかもしれない。

要するに、ふたつの対立する要素を「トライアンギュレーション（三角測量）」（研究アプローチの一種。複数の研究手法を組み合わせ、仮説の妥当性を高めていく）するということだ。おそらく多くの企業がとくに厄介だと感じているジレンマは、経営幹部にどのような金銭的インセンティブを与えるか、またその功績にどう報いるのかという問題だろう。たとえばボーナスは、個人的な功績とチームの成果のどちらを基準にしたらよいか。また会社の成功は、社員全員で平等にわかちあうべきか。それとも貢献度に応じて個人やユニット間で差をつけるべきか。

現在、多くの企業では、チームの成果と個人的な功績のあいだに一定の比率（例：自社の業績を7割、個人的な貢献を3割とする）を設けてボーナスを査定している。この「ふたつのバケツ式」アプローチは、二種類の成果――チームの成果と個人の功績――のあいだには相関性がないという前提のもとに行われている。すなわち、企業の業績とそこで働く人の努力は無関係だとみなされがちだ。

カリフォルニア州に本社を置く多国籍半導体企業のアドバンスト・マイクロ・デバイセズ（AMD）では、個人的な功績とチームへの貢献度の両方を考慮しつつ、社員の努力に報いる手法を早くから実践している。同社の社員は、所属チームへの貢献度をもとに個人としての成果を評価されて報酬を得るが、その評価は所属チームが行う。またチームに対する報酬は、所属メンバーの才能をどれだけ引き出せたかで決まり、その評価はメンバーたちが行う。これは一見対立する価値観を巧みに融合させた例といえるだろう。

ジャック・ウェルチは、GEでCEOになる前にプラスチック事業部門を統括していたが、そのときすでにジレンマの難しさを理解し、一見対立する価値観を調和させることを重視していた。彼が採用していた行動原則の一部を紹介しよう。

●あらゆる機会をとらえる。

●シンプルな問題解決法を発見できるまで、とことん情報を読み込む。
●アイデアの検証は、建設的な意見の対立を通して行う。
●すべての部下を対等の存在として扱う。ただし、各人への褒賞はその功績に応じて厳密に行う。

人材管理学を専門とするポール・エヴァンズ教授は、多元的な世界におけるマネジメント能力をシンプルに表現しようと試み、次の原則を提案している。**ある方針を組織の構築に採用したら、構築した組織のマネジメントには別の方針を採用する**。[※12]

エヴァンズは、企業においては、特定の価値観——統制、協調、予測可能性など——が重視されがちなことを心得ていた。しかし、こうした価値観が企業文化に組み込まれている一方で、同じくらい重要な別の価値観——好奇心、探求心、多様性、信頼など——が見当たらないようなら、経営陣は後者が相応に重んじられるように働きかけたほうがいい。言い換えれば、リーダーの役割とは「ないがしろにされている側」に光を当てることだ。

たとえば、株主へ奉仕する傾向のある組織なら、経営陣は、顧客の利益が増えれば株主の利益もさらに増大すると説いてはどうだろうか。また同じことが、コストと収益性、安定と成長、分析と行動といった対照的な価値観についてもいえる。要するに、マネジメントにおいて、問題を解決するのと同じくらい重要なのが、ジレンマをなくすことなのだ。

## 第9章のまとめ

「自らの意思決定が評価される倫理的な基準を、従業員は折にふれ思い出すべきだ」という暗黙の了解にもとづいて、価値観を表明する組織は多い。

どんなものを美徳とみなすべきか、リーダーである私たちもときどき思い出したほうがいいかもしれない。ただし今日のビジネスにおける倫理的な難問は、ジレンマのかたちをとる場合が多い。つまり、複数の美徳がせめぎ合い、そのうちどれを選んだらいいのかがわからない。困ったことに、ある価値観と別の価値観を両立させ、双方の強みをうまく活かすというタスクには定型的なチェックリストや規則集は役に立たない。

価値観をどう表現しようかとあれこれ工夫する時間があれば、ジレンマの管理に集中しよう。議論や異議の申し立てを奨励し、倫理的な振る舞いを単なる規則の遵守にとどまらない、良心的な問いかけとして社内に位置づけよう。倫理面を重視する組織であれば、道徳的な問題には常に敏感になり、そうした問題にオープンかつ直接的に対処するはずだ。現在のビジネスにおいては、道徳規範はジグソーパズルや規則集というより、創造的なプロジェクトや終わりなき探求に近い。

## あなたへの質問

- あなたの意思決定は、どんな価値観のあらわれだろうか?
- あなたが行う(または、すでに行った)意志決定について、誰かに説明するとき、その決定に伴う倫理的なジレンマを伝えるにはどうすればいいだろう?
- 意思決定に伴う倫理的なジレンマを表面化させ、対処しやすくするために、議論や異議の申し立てを部下に奨励するには、どんなアドバイスをしたらいいだろう?

議論をしたり異議を唱えたりすることができてこそ、自分の考えや行動に意味があり、正しいことをするのが重要だと信じることができるようになる。すでにおわかりだとは思うが、何が正しいかは価値観が教えてくれるわけではない。指針は得られるが、そのためにかえってジレンマを引き起こしたりする。続く最終章では、いよいよリーダーシップの究極の課題に挑む。それは、正しいと信じることのために、自らの権限や自由を用いることだ。

# 第10章 自分にできることを行う自由

この章では、20世紀の哲学者、ピーター・ストローソンとジャン＝ポール・サルトルのふたりと、古代ギリシアの哲学者ソクラテスの思想から、あなた自身に目を向けてみたい。どんな人にも、自分なりの理想や善悪の基準、起こしたい変化（つまりリーダーシップ）はある。地位の高低や権限の大小、使えるリソースの量は関係ない。自分のもつ自由をどう行使すれば、世界をよりよい場所に変え、誰もが輝ける環境をつくれるのか。それを一人ひとりが主体的に考える必要がある。

そのときにカギとなるのが、すでに触れたエンパワーメントの概念だ。真の意味で「エンパワー」されるには、自らに備わる自由を理解して、その理解に沿って行動しなければならない。その自由とは何か？　たとえ制約があっても、自らが正しいと信じることを行う自由である。第6章では、あるヨーロッパ企業の「多様化推進デーイベント」に私たちが招かれたときの経験をお話しした。その概要は次のようなものだった。

数カ月前、あるヨーロッパ企業に招かれて、同社の「多様化推進デー」の基調講演とワークショップを行った。ワークショップには、中間管理職も一般スタッフもおおぜい参加し、みな積極的に発言してくれた。セッション後も残って話しにきてくれた熱心な参加者も何人かいた。彼らからのメッセージはシンプルだった。

「上層部にこう伝えてください。私たちは、すっかりのけ者にされ、いつも自分が無力だと感じています。制度や規則にがちがちに縛られて、意思決定をする権限も自由もない〝逆エンパワーメント〟状態なんです」

あの時点では、経営幹部の反応を検討したうえで、上級管理職は、現場の声を意思決定のプロセスに採り入れるだけで満足せず、真にエンパワーされた（自らエンパワーした）従業員が本来の力を発揮できる環境づくりを心がけるべきだと提案した。また同時に、組織における権限の目的と正当性を検証し、カント以後の世界では権限に対する考え方が逆転しているとも指摘した。

もう一度言おう。権限が委譲されるのは「上から下に」ではなく、「下から上に」だ。そして与えられた権限は、ほかの人々のために適切に行使されるべきなのだ。

## 願いごとは慎重に

とはいえ、「エンパワー」されたいと願っている人についてはどうなのだろうか。身動きがとれず、のけ者にされ、無視されて「逆エンパワーメント」状態に陥っていると感じているマネジャーやスタッフもいるかもしれない。そうした人々は、エンパワーメントや権限、自由といった面でどんな責任をになうべきなのか。リーダーシップという面ではどうなのか。

クライアント企業のCEOたちによくされる質問は、「もっと柔軟で革新的で、機動力のある持続可能な組織をつくるにはどうすればいいでしょう?」だ。こうした質問を受けると、たいていのコンサルタントは「もっと社員をエンパワーしましょう!」とアドバイスする。だが残念なことに、巷にあふれる「エンパワーメント」プログラムは、上の地位にある人がその他の人を「エンパワー」できるという思い込みにもとづいている。

第6章でも述べたように、エンパワーメントとは一種の個人の特質であり、序列にもとづいて権力を握る誰かに恵んでもらうものではない。いまこの瞬間、自らの権限や自由を行使してプラスの変化を起こそうとしている人がおおぜいいる。そうした人を応援するために自分の権限を活用することこそが、ヒエラルキーの上位にいる者の務めなのだ。言っておくがこれは、上層部がその他の人を「エンパワー」できると思いあがるのとは違う。そんなことは、そもそもできない。

もし第6章で紹介したホッブズとカントの思想を採用するなら、つまり人間は生まれながらにして平等で、自己統制能力や内なる義務の感覚があるとみなすなら、真にエンパワーされた人間となれる資質――自分の信念にもとづいて行動する能力――は誰にでもあるはずだ。

実現させるべきことを見きわめ、その物事が実現するように意思決定する。それが真にエンパワーされた人物のあり方で、リーダーの役割でもある。もちろん、その結果として、さまざまなことが起きる。得ることも多いだろう。たとえば、目的意識を獲得できる、自分は貢献していると実感できる、自分の行動に意味があると思える、自己肯定感が高まる（人としての誇りを守れる）といったメリットが考えられる。

ただしリスクもある。行動を起こし、意思決定し、物事を実現していくには責任が伴うからだ。また責任には不安がつきものだ。もし失敗したら？　誰かを怒らせたら？　必要な努力やエネルギーが自分の想像や能力をはるかに超えていたら？　さらに困ったことに、こうしたリスクの検討はすべて、成功する保証がない段階で行わなければならない。慣例に従うか、頼まれるまで放っておくほうが楽ではないか？　なぜ会社の方針や誰かの指示にそのまま従ってはだめなのか？　そんな心の声がする。

責任を負うかどうかのジレンマには、誰でも直面する。自らの権限と自由を行使して主体的に行動するか、それとも楽な道を選んで逃げ出すのか――このジレンマにどう対処するかで、あなたのエンパワーメントの度合いが決まる。また、リーダーとしての資質も試される。

## 「行動する自由」とリーダーとしての責任——哲学から学べることは？

お気づきの人も多いだろうが、この章では「行動する自由を行使する」というやや耳慣れない表現を使っている。そこで、この「行動する自由」とはどのような意味かをここで明確にしておきたい。哲学の世界では、自由意志の存在について多くの議論がある。いわゆる「強硬な決定論者」は自由意志の存在を否定するだろうし、完全自由主義者（リバタリアン）は肯定するはずだ。

強硬な決定論者は、人間の行動はすべて過去の出来事や自然のことわりに起因し、自由な選択をしているという概念は妄想にすぎないと考える。一方で完全自由主義者は、自分の行動は自分で選べる、つまりどんな選択をするかは自分次第だと考える。さらに、このふたつの姿勢の中間をいく考え方をする人もいて、両立論者と呼ばれる。たとえば、哲学者ピーター・ストローソン（1919～2006年）は、1962年の論文『自由と怒り』[※1]でこの概念について論じている。

ストローソンが生まれたのは、第一次世界大戦の終結直後だった。つまり、第二次世界大戦やその後の冷戦、いわば資本主義と共産主義という二大イデオロギーの対立のなかで育った世代といえる。その頃には、一部の人間の失敗や蛮行、血の気の多い愚かさのせいで、20世紀初頭のおおぜいの指導者には「当然の権利」だった権威への尊敬や恭順は、もはや「当然」ではなくなっていた。

第二次世界大戦では、自由を求める闘いや疎外された者の怒りと、覇権をめぐる争いが相まって、世界中が血みどろの地獄と化した。そうした恐怖をくぐり抜けた哲学者の多くが、自由の本質に注目しても驚くには当たらない。その一派が実存主義であり、のちほどジャン゠ポール・サルトルの思想を通して紹介する。

## 猫をごみ箱に捨てる

ストローソンによると、人間には自由意志が存在するかのように振る舞う傾向があるという。この傾向がとくに顕著に出るのが、誰かを非難・処罰するかどうかを検討するときだそうだ。私たちには行動の責任をとらなくても許される状況がある、とストローソンは指摘している。

たとえば「彼女は正気じゃなかった」「彼は自分を見失っていた」といった表現は、ある人が何か好ましくない振る舞いをしたとしても、精神が正常な状態になかった場合はしかたない、情状酌量の余地がある、といった見方のあらわれだ。言い換えれば、大多数の人とくらべて、自分をコントロールできる状態にない人に対しては、ふつうの基準をいったん適用中止にするということだ。

たとえば、私が近所の飼い猫をつかまえて、大型のごみ箱に捨てたとしよう。ごみ収集業者が持ち去ってくれれば静かになると思ったからだ。ところが、あいにくその行動の一部始終は、防犯カメラに撮影されていた。このとき、もし私が正常な精神状態にあったとすれば、正常な精神状態にある大半の人は、そんな残酷な振る舞いは許されない、処罰すべきだと考えるだろう。

だが、もし私が「その猫の鳴き声がうるさくて何週間も眠れず、気づいたらひどいことをしていました」と申し開きをしたら？　医師の診断書もある場合、正常な精神状態にある人の少なくとも一部は、なるほどそうだったのか、それなら今回は大目に見てやろうと思ってくれるかもしれない。

これこそがストローソンの主張だ。自分を見失っている人に対して、人は通常の基準を適用することを一時中止する。つまり、その人は自分の意思で行動したわけではない、我を忘れた状態にあり、そうせざるをえなかったと解釈する。そして、通常より罰を軽くしてやったり、無罪放免にしてやったりする。

一方、その人がまったく正気で、その他の情状酌量の余地もないとみなされれば、もっと厳しい結果が待っている。つまり、自分の行動の責任をとらされる。この考え方にもとづくと、「自由」とは、理性では抑えきれない衝動といった逃げ道がない状態と定義できるだろう。要するに、選択肢がなければ責任を負わずにすむが、自由意志も存在しない。

一方、選択肢があるなら責任を負う必要があり、自由意志も存在する。こうした自由の概念は、エンパワーメントやリーダーシップについて考えるときの基盤になる（もちろんこれは、その対象となる人々が正気を保つという前提に立っている）。

自由とは、後先考えずに行動できる特権ではない。衝動ではなく自分の意志で行動し、その結果に向き合う能力のことだ。生じる結果の一部（または大部分）は、意思決定の段階では予想もできなかったことかもしれない。しかし、リーダーとして行動するとはそういうものなのだ。

## たとえそこが監獄でも

ただしこれは、あなたの行動をやめさせる権利や処罰する権利が他人にはない、というのとは違う。あなたの地位がどれだけ高くても、低くてもそのことは変わらない。もし第6章で紹介したカントの「目的の王国」の住人となり、共通ルールを自主的に定め、かつ受け入れるとすれば、自分たちの行動が一部制限されることにも、ルールを破れば処罰されかねないことにも同意することになる。

たとえば税金を払わなかったとしたら、(権限を行使することを認められた)他人に罰せられても文句は言えない。どんな社会にも司法制度はあり、独自の規則や審判役、規則が破られた際の取り決めが存在する。それでもなお、たとえば監獄といった極端な環境でも、選択は可能という原則は適用できる。それを物語る例として何よりもふさわしいのが、ネルソン・マンデラの逸話だ。

じつは彼は1985年、釈放されて自由の身になってはどうかともちかけられたことがあった。ただしその条件は、以後、政治活動からいっさい手を引くと誓うことだった。結局、マンデラは獄中にとどまるほうを選び、その5年後に無条件で釈放された。もちろん、ほとんどの人は、自分の行動や信条、掲げる理想によって投獄される期間が決まったりはしない。だが、これこそまさに真にエンパワーされた人物の行動ではないだろうか。

自分が何を信じるのか。世の中にどう貢献したいのか。そうした問いは、はるか昔からの普遍的な問いであり、多くの哲学者たちの関心を呼んできた。

## ソクラテス——気概の力

プラトン（紀元前427〜紀元前347年）は、著書『国家』[※2]において師ソクラテス（紀元前470〜紀元前399年）の言葉を伝えながら、気概（thymos）という概念を通して「世界にどう貢献したいか」という問いを考察している。ソクラテスは、人間の魂には3つの部分があると考えた。理性（合理的な思考）、欲望（何かを欲しいと思う心）、気概である。このうち気概は、その人の誇りにつながるものと定義されている。

じっさい、ソクラテス自身が「気概」を体現する人物だった。彼の時代のアテナイは、スパルタとの覇権争いに敗れ、黄金期から一転、衰退に向かう。アテナイ政府のやり方に堂々と危惧を表明していたソクラテスは裁判にかけられ、毒を飲んで死ぬように命じられる。友人たちは彼が他国へ逃亡できるように手はずを整えたが、彼はその申し出を断り、その理由を次のように説明した。

自分は牢獄にとどまって死罪を受け入れる。なぜなら、高潔に生き、正しいことをしたいからだ。自分はアテナイに移り住み、アテナイ社会の一員となることを選択した。したがって、その社会のルールに従う必要がある。ルールの内容を理解していたし、ルールは正当な手続きを経て適用されたのだから。

これこそ気概だろう。気概とは、自らの情熱に突き動かされる能力だ。もちろん、こうした情熱は、偉業を達成する原動力にもなれば、大惨事の原因にもなる。

先ほどのネルソン・マンデラの逸話も、気概を物語る一例といえる。理性の面だけから考えれば、申し出を受け入れて釈放されるほうが賢明だ。その理由は山ほどある。まず、そんなチャンスはもう二度とないかもしれない。またマンデラの心には、こんな思いがよぎっただろう。そもそも私――ネルソン・マンデラ――が政治運動から引退するかどうかなど、それほど大きな問題なのか？　もう十分だろう？　代わりの人間がいないわけじゃない、と。

欲望という面から考えても、きわめて魅力的な申し出だったに違いない。ふたたび自由の身になって、好きなことをし、人生の喜びを満喫できる――それも本当に久しぶりに。おそらく強烈な誘惑だったはずだ。だが、彼は気概を発揮し、誘惑に打ち勝った。申し出を受ければ、平穏無事な暮らしを手に入れられた。おそらくそうしても、大部分の人は理解してくれただろう。だが自分が守ってきたもの――自分自身の誇り――は捨てることになる。

気概（thymos）は、私利私欲を乗り越える力になる。単なる血の気の多さとは違うことは、その働きを考えれば一目瞭然だろう。気概は私たちにこう問いかける。

利己心に振り回された人ならそうするかもしれない。しかし、あなたはどうするのか。欲望に振り回された人ならそうするだろうが、あなたも同じなのか。あなたの信念はどう告げている？　気概の力は絶大だ。というのも、自分の信念に従わない場合、自分自身に説明せざるを得ない。自分が大切にしていることは何か、なぜそんな行動をとるのか。きちんと説明できなければ、自分で自分が嫌になる。つまり、自分の誇りにかかわる問題なのだ。リーダーとしても失格だろう。

さらには「ほかの人の目にはどう映るか」といったことも頭をよぎるかもしれない。誰にでも（もちろん、私たち著者も）覚えがあるだろうが、正しいことを実行できない見苦しい姿を、自分がよく思われたい相手に見られた場合、相手の信頼を失うつらさで胸が張り裂けそうになるはずだ。プラトンは、気概は憤りや自分への怒り、羞恥心の源泉だとソクラテスの言説を通して述べている。こうした感情は、自尊心が傷つけられた結果生じる。

エンパワーメントとは、先が見えない状況でも逃げずに判断し、行動する能力のことだ。また、その行動は「これが本当に、なされるべきだと自分で信じたことか？」と振り返ったときに「そうだ」と胸を張れるものであるべきだ。

## 賄賂におさらば

アリババ社の元総裁兼COO（最高執行責任者）の関明生（サビオ・クワン）は、同社がまだ社員150名ほどの新興企業で、さまざまなトラブルと日々格闘していた時代に入社したエグゼクティブのひとりだった。アリババはその後、世界最大規模のB2B企業に成長し、彼が同社を去るころには２５００人のスタッフを抱え、月間５００万ドルの現金黒字を生み出すまでになる。

サビオはキャリアの初期、ゼネラル・エレクトリック社に勤務していた。ＧＥメディカルシステムのアジア地域における事業開発のトップに任命されたときの話だ。当時、対象地域の顧客基盤には、サプライヤー契約を結ぶ際に賄賂を期待する文化があった。しかし、ＧＥは米国政府が定める海外腐敗行為防止法（ＦＣＰＡ）を遵守していたため、賄賂の授受はいっさい許されなかった。サビオによれば、問題は中国のチームメンバーが自社の方針を知らないことではなく、「現地文化に精通しすぎているために相手の体面を気遣い、誰も顧客にその方針を伝えないこと」だった。

カトリック教会の教えと儒教が混在する環境で育ったサビオにとって、これは見過ごせない状況だった。まず自分の部下を守るという観点で、なんらかの行動を起こさなければならない。ＧＥでは、規則に反した従業員は問答無用で解雇されるからだ。状況次第では、警察に通報されて実刑判決がくだることさえある。ビジネス的な観点からも、最終的に締結できない契約にこだわるのは時間の無駄で、避けるべきだった。賄賂を伴う取引は絶対に承認されない。

彼には、会社のリソースが適切かつ効果的に活用されるように監督する義務がある。さらに彼自身の倫理観も「文化を言い訳に目をそらし続けるのではなく、正々堂々と『怪物』と対決すべきだ」と告げていた。

私は、なかば強制的にみんなをトレーニングすることにした。対象は、予定調和のシナリオから抜け出して、社内の序列のてっぺんから大号令をかけるべき人たち全員。それも中国内の顧客との最初の顔合わせから行う。頭がおかしくなったのかとチーム全員に思われたらしい。しかし、この一見狂気の沙汰とも思える振る舞いにはちゃんと理由があった。これは「顧客を選ぶ」ための第一のステップだった。なんらかの賄賂を必要とする顧客は、私たちが求める取引相手ではない。GEには、贈収賄はいっさい禁止というルールがあるからだ（ちなみに、このルールは「第20・4条」と呼ばれている）。このルールに違反する契約は、どんな事情があっても承認されない。絶対に承認されない契約をまとめようとしても時間の無駄だろう？

この彼のシンプルな行動の結果、GEメディカル中国の営業チームは、賄賂が必要な取引（当時の取引の約70パーセント）をすべて停止し、賄賂を必要としない取引に対象を絞ることになった。

持ち前の気概を発揮し、正しいことをしようとしたサビオは、問題に真っ向から対峙しなければならなかった。営業チームはなかなか納得しなかった。市場の7割を無視して、どうするおつもりですか？　そう聞かれてサビオは答えた。「残りの3割を制して、そこからまた始めよう」最終的に同社は、市場の25パーセントを手中に収めることができた。

「もちろん楽じゃなかったさ。賄賂が全然もらえないなんて冗談でしょう、と言う顧客が山ほどいたからね」しかし、ないものはない、のである。

## 真にエンパワーされた組織をつくる

「はじめに」では、経済学や心理学の知識は、組織の成功や効率という点では重要かもしれないが、それだけでは不十分だと指摘した。誰もが、有意義な仕事をし、人として輝くために協力し合いたいと願っている。その際に直面する倫理的な問題に、経済学や心理学は答えてはくれない。実際にあるヒエラルキーが存在しないふりをすることなど不可能なように、権力やリソースの配分に格差がないふりをすることも不可能だ。

ただし、もしあなたが権限をもつ人間のひとりなら、こうした格差は権限を濫用する言い訳にはならない。また、自分にできる範囲で正しいことをする責任、いわばリーダーとしての責任を放棄する言い訳にもならない。

真にエンパワーされた（自らエンパワーした）組織をつくるためのお手軽な規則集などない。誰もがいきいきと輝き、自分自身も正しいと賛同できる行動や意思決定が行える環境

――そんな環境をつくりあげるには、全員が協力する必要がある。

この章と第6章で紹介した哲学者の主張にならうなら、もし私たちが、人間は生まれながらに平等で、自己を統制する力を備えていると信じ（ホッブズ）、ほかの人を「手段」ではなく「目的」として扱う義務があると考え（カント）、よかれ悪しかれ、選択する自由があると感じ（ストローソン）、正しいことをしようという気概は利己心や欲望に打ち勝てると思うなら（ソクラテス）、次のふたつの哲学的な問いについて考える必要がある。

権限を公正に行使するとはどういう意味なのか。正しいと信じることに従って行動するにはどうしたらいいか。こうした問いの答えを、真のリーダーは常に模索している。

### セルフエンパワーメントのための演習

私たちの同僚のひとり、ロバート・サドラーが、ずいぶん前に教えてくれたエクササイズを紹介しよう。この演習はシンプルだが効果は抜群で、どんな人が試しても、本来のいきいきと輝く自分――真にエンパワーされた自分――を取り戻し、リーダーシップを発揮するために役立ってくれるはずだ。やり方は以下の通りだ。

●自分の人生を3年単位で振り返り、その3年間でもっとも充実した気分を味わった期間はいつだったかを考えてみよう。おそらく、いわゆる「ゾーン状態」にあったはずだ。

時間はあっという間に過ぎる。仕事やプロジェクトの続きがやりたくてたまらず、毎朝ベッドから飛び起きていた人も多いかもしれない。これを（それが妥当と思える年齢なら）5セット分（つまり過去15年間分）行ってみよう。

●次に、同僚でも友人でもいいので、ふたりの協力を仰ごう。ひとりには、先ほどの充実した期間について順番に質問してもらう。もうひとりの監察担当には、各期間に共通するパターンや要素があるかどうかに注目してもらい、気づいたことをメモするように頼む。

●それぞれの体験に関して、質問担当の人にたずねてもらう質問は4つある（多少変更してもかまわない）。

○その状況に身を置いたきっかけは何ですか。誰かに頼まれて？　それとも自分から？　あるいは強制されて？

○必要な知識やスキルはどのように習得しましたか？

○具体的には、どんな状況でしたか。たとえば、ほかの人々もかかわっていましたか？　技術的なチャレンジが必要でしたか？　物事の進行ペースは速めでしたか？　新たな境地を切り拓けましたか？（等々）

○なぜ充実感を覚えたのですか。なぜ意義があると思えたのでしょう？

インタビューが終了したら、観察係は聞いた内容を振り返り、インタビューされた人（あなた）がもっとも充実感を覚えた体験に共通する要素についてコメントする。その後、質問する役・される役、観察する役を交替し、同じプロセスを全員分繰り返そう。これは誰にとっても有益な学びになるし、そうしなければ公平ではない。

このプロセスを行うと、各自が人間らしく輝ける環境を生み出すための要素が浮かびあがってくる。万人に共通する要素もあれば、その人独自の要素もあるだろう。このうち共通する要素のほうは、以下のどれかから派生していることが多い。

●物事を自分でコントロールしているという感覚
●ポジティブな変化を生み出しているという感覚
●高く評価されているという感覚

## ●学び、成長しているという感覚

言うまでもないが、その人独自の要素はどんな人にもある。その内容も人それぞれだろう。ただし、自分たちが活躍できる環境は誰かがつくってくれると人頼みにする人は、待ち時間が長めになるかもしれない。また、そうした環境づくりのための第一歩を踏み出すことを恐れる人は、後々さまざまなことを後悔するかもしれない。

自らエンパワーした人物、つまりリーダーは、自分自身が活躍できる環境を生み出す要素――万人に共通する要素と自分独自の要素――をきちんと把握し、そうした要素をなるべく多く、かつ頻繁に確保しようと積極的に行動する。そもそも自分自身が充実していないかぎり、ほかの人を導くことなどできない。

緩和ケアの介護人ブロニー・ウェアは、担当患者との交流について書いた著書[※3]のなかで、死を目前にした人の後悔について語っている。彼女によれば、とくに次の5つのことを後悔していたという。

**1.** 他人の期待に応える人生でなく、自分に正直な人生を送ればよかった。

2. 仕事と生活のバランスをとり、働きすぎなければよかった。
3. 自分の気持ちを素直に伝えればよかった。
4. 友人と連絡を取り続ければよかった。
5. 幸せをあきらめなければよかった。

私たちは世界各地の企業幹部と仕事をしているが、彼らもこうした後悔をするような気がしている。「考える暇なんかない」「どれだけ必死に働いても仕事が終わらない」「上司と話せば話すほど、やる気がなくなる」「絶対に失敗できない」「自分は無力だ」。こうした言葉や後悔の中心にあるのは、意思決定という要素だ。「〜すればよかった」という言葉は、そのときの自分に選択肢があり、いま後悔している選択をしたことを意味する。

「仕事は絶対に終わらない」と口にすることは、自分は物事に振り回されるだけで、選択肢はないという考えを受け入れることだ。

意思決定をするとき、自分には選択肢がないと言い張る人は少なくない。「必死に働かないとクビになる(あるいは昇進できなくなる)」「本当にやりたいようにやれば、自分勝手と思われる」といった具合に。この選択肢がないという感覚は、恐怖にもとづく場合もあれば

（例：「クビになるかも」）、自分の価値観や志にもとづく場合もある（例：「私利私欲のない人物でありたい」）。しかし、どのような理由であったとしても、実存主義の哲学者には通用しない。彼らは、この種の言い訳をきわめて懐疑的に受け取るはずだ。

実存主義は、それまでの考え方とはまったく異なる観点から生み出された。実存主義では「実存は本質に先立つ。本質が実存に先立つのではない」と考える。これは具体的にはどういう意味だろうか。たとえば、カントは定言命法は有効だとみなし、人間は生来、正しいことをしたいと思うもので、そうできなければ本人が苦しむと考えた。つまり、人間の本質は一人ひとりの存在に先立つと主張した。一方、実存主義者は、そのような青写真は人間にないと考える。

またカントは、人間を単なる目的達成の手段として扱うのではなく、目的そのものとして扱うべきだと主張した。それは絶対的な概念であり、仮定にもとづくものでも、状況次第で変化するものでもなかった。つまりカントにとって、あらゆる人は、こうした人間としての本質にもとづいて世に生をうけるものだった。その本質はすでに決まっている。もちろん、そう言われればこう聞きたくなる。それは誰が決めたのか？

預言者アブラハムの宗教的伝統を受け継ぐ宗教（ユダヤ教、キリスト教、イスラム教）にもとづく哲学の場合、その答えは神だ。クリスチャンやムスリムにとって、人間の本質とは、創造主によって定められたものである。人間のすべきことは、あらかじめ定められた本質に従って精一杯輝くことだ。

しかし実存主義では、そのような実存に先立つ本質は存在しないと考える。くわえて実存主義は、本書の前半で紹介した、アリストテレス的な概念——理性的に生きるべきだという考え方——にも疑問を投げかけている。なぜなら、その前提には、どのように生きるべきかは理性が教えてくれるという考え方があるからだ。

神が存在するかどうか、理性が人間の行動をどう導くかといったことは、実存主義者にとってたいした問題ではない。実存主義者のなかには、カトリックもいれば、無神論者もいる。実存主義はきわめて20世紀的な哲学思想といえる。ジャン＝ポール・サルトル（1905～1980年）は、おそらくもっともよく知られた無神論的実存主義者だろう。

サルトルは20世紀に起きたふたつの世界大戦の両方を経験した。人間が人間に対して行う、数々の残虐行為。人類はこの期間、想像を絶する苦しみを味わった。ところが「人間の高潔な本質」は、そうしたときに人間を守ってはくれなかった。

たとえば第一次世界大戦中の1916年7月1日には、たった一日で5万4000人のイギリス人兵士が死亡したか重傷を負った。第二次世界大戦中に死亡したロシア人2600万人のうち、800万人は餓死または病死だった。またナチスの人口政策の結果、600万人のユダヤ人、25万人の障がい者、180万人の非ユダヤ系ポーランド人が命を落とした。イギリス領時代のインドでも、1900年に100万人が餓死し、1944年には210万人が死亡している――20世紀中、既存の権威（宗教的権威と非宗教的権威のいずれであれ）が人間の好ましい本質を維持できなかった例は、ほかにもたくさんある。実存主義が生まれた背景には、こうした時代の悲劇があった。

しかし、実存主義者は――とくにサルトルは――絶望してはいない。有名な講演「実存主義はヒューマニズムである」（１９４５年[※4]）でも、サルトルは前向きで人間主義的な実存主義のアプローチを提唱している。

その考え方はシンプルかつ楽観的で、自由の概念にもとづいている――要するにあなたは、自分がなろうと決めた人物なのである。もちろん、そう考えるのは簡単なことではない。だが、言い訳をすることは一種の責任逃れでしかない。サルトルはこう述べる。「結局、［実存主義を］恐れる理由は、この主張が人間に対して選択の可能性を残すからではあるまいか」というのも、その人が自分の選択権を行使しないでいれば「たくさんの素質や傾向や可能性が、活用されないものの無傷なままで残っている」からだ。

サルトルはこの講演で、ブロニー・ウェアの『死ぬ瞬間の5つの後悔』の先行版ともいえる逸話も紹介している。それは先ほどのセルフエンパワーメントの演習に通じる内容だ。その方法を使えば、私たちは自分の人生を振り返り、自分がどんなときに人間らしく輝いていたか、どんなときにリーダーとして行動していたかを思い出せる。そのときの自分は、お手本を示したのかもしれないし、情熱を周りに伝染させたのかもしれない。何かを成し遂げたのかもしれないし、ほかの誰かのために行動したのかもしれない。
いずれにせよ、あなたは振り返ったうえで答えなければならない。いまの自分は人間らしく輝くことを選択しているだろうか？　それとも誰かのせいや自らの運のなさ、置かれた状況のせいにしているのだろうか？

自分が人間らしく輝ける状況がわかったら、そこからはあなた次第だ。人間らしく輝くかどうか？　リーダーとフォロワーのどちらになるか？　責任を負うか、誰かのせいにするか？――あなた自身が選択しよう。

サルトルをはじめとする実存主義者は、輝ける「実存」への道をともに歩む仲間として、その道中に経験する苦しみやためらいを語っている。なぜ苦しむのか？　責任を負うことと は、間違いをおかすリスクを受け入れることだからだ。
なぜためらうのか？　責任を負えば、言い訳や誰かの命令という「逃げ道」を手放さなければならないからだ。しかし、衝動ではなく自分の意志で行動し、「これが本当に、なされるべきだと自分で信じたことか？」と振り返ったときに「そうだ」と胸を張れる人なら誰でも知っているはずだ。リーダーはみな、そうした苦しみやためらいと戦っているのだと。

人間らしくいきいきとした、気概ある人生。そんな人生を歩むことはもちろん簡単ではない。しかし、少なくともそうしようと試み、最善を尽くすことは、リーダーとしての私たち一人ひとりの義務である。自分の恐怖と対峙し、結果が見えなくても第一歩を踏み出す。一部の人々を怒らせたり落胆させたりしながらも、自分の心の奥底にある声に誠実であろうとする——リーダーシップを発揮するとは、そういうことだ。もしそうしなければ、一生後悔するかもしれない。

## 第10章のまとめ

- 責任を負うかどうかのジレンマには誰もが直面する。主体的に行動し、自分の行動する自由を行使するか？　それとも楽な道を選んで逃げ出すか？　このジレンマにどう対処するかで、あなたがエンパワーされる度合いが決まる。リーダーとしての資質も試される。
- 自由とは、後先を考えず行動できる特権ではない。自由とは、衝動ではなく自らの意志で行動し、その結果に向きあう能力のことだ。結果の一部（または大部分）は、意思決定の段階では予想もできなかったことかもしれない。だが、そうしたことを含めての自由なのである。

●エンパワーメントとは、先が見えない状況でも逃げずに判断し、ベストを尽くす能力のことをいう。その行動は「これが本当に、なされるべきだと自分で信じたことか？」と振り返ったときに「そうだ」と胸を張れるものでなければならない。

●真にエンパワーされた人物は、自らがもっとも輝ける環境を生み出す要素——万人共通の要素と、自分独自の要素の両方——を把握しており、そうした要素をなるべく多く確保しようと常に積極的に行動する。

●自分を活かせるのはどんな環境なのかわかったら、そこからはあなた次第だ。あなたが人間らしく輝けるかどうか——リーダーシップを発揮できるかどうか——はあなた自身の行動にかかっている。

それで結局、あなたはどうするべきなのだろう？　マニュアル的な答えは存在しない。だがヒントはある。もし次のような質問を自らに問いかけ、これからの行動の指針にするなら、前に進んでいく助けとなるはずだ。私たちのお勧めをいくつか挙げておく。ただし、本書をここまで読んできたあなたなら、もっといい質問をすでに見つけているかもしれない。

## あなたへの質問

**1.**「私には権限がある」という人へ——気概ある人が活躍できる環境をつくり出すために、あなたはどんなことができるだろうか。これまでよりも力を入れるべきことや、控えるべきことはあるだろうか？　新しく採り入れるべきことはあるだろうか？

**2.**「制約の範囲内でベストを尽くしたい」という人へ——あなた自身の価値観にさらに誠実になるためには、どんなことができるだろうか。やめるべき習慣はあるだろうか？　これまでよりも力を入れるべきことや、控えるべきことはあるだろうか？

**3.**「私はいきいきと輝ける」という人へ——あなたが最高に輝き、リーダーのひとりとして貢献できる環境とは、どのようなものだろうか。そうした環境をつくり出すために、あなた自身は何ができるだろう？

# 謝辞

本書で紹介した理念や提案には、私たちが長年、さまざまなリーダーシップ開発プログラムに携わるなかで話し合う機会を得た、おおぜいのエグゼクティブの知見が反映されている。こうしたプログラムの多くは、ロンドン・ビジネススクールまたはハルト・インターナショナル・ビジネススクール・アシュリッジ校を通して提供された。

リーダーシップ開発プログラムの開発や運営、指導を通して私たち４人がご縁をいただいた学生の数は、これまでの約30年間で２万５０００人ほどにものぼり、そこには２００以上の組織から派遣されたエグゼクティブも含まれている。これほど多くのリーダーやマネジャーが現代の職場における喜びや苦しみを本音で語ってくれる環境はめったになく、そうした環境で仕事ができることは光栄以外の何ものでもない。

これまでお手伝いさせていただいた組織をいくつか挙げておくと、たとえばロールス・ロイス社、ＩＣＬ社、オランジュ社（旧フランステレコム）、スミス・システム・エンジニアリング社、イギリス国防省、オグルヴィ社には、執行委員会メンバー向けの戦略ワークショップを提供した。またプルデンシャル社、ダノン社、イプセン社、リヴァノヴァ社（医療機器メーカー）、エンジー社（フランスの電力・ガス大手）、ＫＰＭＧ（会計事務所）には、上級管理職向けの体験型研修を提供した。カスタムメイドの研修を企画・提供した企業も多く、オラクル社、エミレーツ社、ＧＥＡ社（ドイツの総合メーカー）、ＤＰワールド（世界最大級の海上ターミナル経営会社）、ＢＵＰＡ社、マース社（アメリカの食品大手）、フレッシュフィールズ（法律事務所）、ＰｗＣ（会計事務所）、ＳＡＰ社、ネスレ社、クラリアント（スイスの大手化学メーカー）、ゼネラリ保険、スタンダードチャータード銀行、エルビット・システムズ（防衛電子機器会社）、メンジーズ社、キャピタ社、ＥＹ（会計事務所）、ＢＣＲ社、インガソール・ランド社、サーチ・アンド・サーチ社（広告代理店）などがある。もちろん、ＭＩＴスローン・フェローズの経営幹部向けプログラムをはじめとする通常のＭＢＡプログラムでも、長年授業を担当している。

こうしたプログラムで参加者が共有してくれた経験（リーダーとしての経験、または部下としての経験）は、どれも本書の主張をかたちづくるうえで欠かせないものだった。彼らの寛大な精神と真摯な姿勢に心から感謝したい。

各界の同僚やその他のキーパーソンからも大きな影響を受けた。哲学の知恵をビジネスの世界に採り入れるという試みを積極的に支持してくれた人のうち、とりわけお世話になった人々の名前を以下に挙げたい。ジュリー・ブレナン、ジョン・キャンベル、マイケル・チャスカルソン、スティーブン・コーツ、サー・マーティン・ドネリー、イブ・ドーズ、フランソワ・デュピュイ、フィオナ・エリス、タミー・エリクソン、ジャイルズ・フォード、シャクス・ゴーシュ、スマントラ・ゴシャール、リンダ・グラットン、チャールズ・ハンディ、ゲイ・ハスキンス、ピーター・ヒンセン、サミュエル・ヒューズ、リチャード・ジョリー、ジュディ・ラノン、ミュリエル・ラヴァロン、ランス・リー、サー・アンドリュー・リキアマン、コスタス・マルキデス、デイム・メアリー・マーシュ、リンジー・マッソン、イエンス・マイヤー、ナンドゥ・ナンキシャー、ナイジェル・ニコルソン、カスリーン・オコナー、フランソワ・オルタロ＝マーニエ、リック・プライス、クリス・ローリンソン、マイケル・レイ、メーガン・ライツ、クレール＝マリ・ロビラード、ボブ・サドラー、ロバート・ロウランド・スミス、マーティン・ソレル卿、ドナルド・サル、ロリー・サザーランド、ダグ・トレメレン、デビー・ウェイス、ビル・ウィツェル、ラルフ・ウェア。

下』鹿野治助訳（岩波書店、1978年）.
2 Hume, D（1738） *A Treatise of Human Nature* デイビッド・ヒューム「知性について」『人間本性論』香原一勢訳（春秋社、1930年）他

### 第8章 「エンゲージメント」から「エンカウンター（出会い）」へ

1 Buber, M（1923） *I and Thou* (translated in 1958 by Ronald Gregor Smith), various editions マルティン・ブーバー『我と汝・対話』植田重雄訳（岩波書店、1979年）
2 Reitz, M（2015） *Dialogue in Organizations: Developing relational leadership*, Palgrave MacMillan
3 Descartes, R（1685） *Principals of Philosophy*, various editions ルネ・デカルト『哲学原理』山田弘明、吉田健太郎、久保田進一、岩佐宣明訳（ちくま学芸文庫、2009年）.
4 Horwitch, M and Whipple Callahan, M（2016） The science of centredness, Bain & Co [online] https://www.bain.com/insights/the-science-of-centeredness/（archived at https://perma.cc/95AK-RC53）

### 第9章 価値観と倫理的多元主義

1 Berlin, I（1958） Two Concepts of Liberty, reprinted in *Four Essays on Liberty*, Oxford University Press, 1969 アイザイヤ・バーリン「二つの自由概念」『自由論』小川晃一、小池銈、福田歓一、生松敬三訳（みすず書房、2018年）
2 Rousseau, J J（1762） *The Social Contract*, Book I, Chapter VI ルソー『社会契約論』桑原武夫、前川貞次郎訳（岩波書店、1954年）
3 Kant, I（1785） *Groundwork of the Metaphysics of Morals* カント『道徳形而上学の基礎づけ』中山元訳（光文社、2012年）他
4 Emerson, R W（1860） *Conduct of Life: A Philosophical Reading*
5 Aristotle, *The Nicomachean Ethics*, Book II アリストテレス『ニコマコス倫理学〈上〉』高田三郎訳（岩波書店、1971年）他
6 Will, G（2000） Forget values, let's talk virtues, *Jewish World Review*, 25 May
7 Letter to George Kennan（13 February 1951）, in *Isaiah Berlin, Enlightening: Letters 1946-1960*, ed Henry Hardy and Jennifer Holmes, Chatto and Windus, London, 2012
8 Raz, J（1986） *The Morality of Freedom*, Oxford University Press, p. 333
9 Quoted in Golding, I（2017） Engaging your people in improvement activity: 6 key questions, *Customer Think*, 16 February
10 Quoted in Magwood, J（2011） Global Socio-Cultural Expectations on Ethics, *Customer Think*, 3 September
11 Fitzgerald, F S（1936） The crack up, *Esquire Magazine* フィッツジェラルド「崩壊」宮本陽吉訳『崩壊：フィッツジェラルド作品集3』渥美昭夫ほか訳、荒地出版社、1981年に収録
12 ポール・エバンス（Paul Evans）私信

### 第10章 自分にできることを行う自由

1 Strawson, P（2008） *Freedom and Resentment*, Routledge, Oxford P.F.ストローソン「自由と怒り」、ハリー・G・フランクファート、ピーター・ヴァン・インワーゲン、ドナルド・デイヴィドソン、G・E・M・アンスコム、マイケル・ブラットマン『自由と行為の哲学』門脇俊介、野矢茂樹編・監修（春秋社、2010年）.
2 Plato, *The Republic*, Penguin Classics, 2007 プラトン『国家』藤沢令夫訳（岩波書店、1979年）
3 Ware, B（2011） *The Top Five Regrets of the Dying: A life transformed by the dearly departing*, Hay House ブロニー・ウェア『死ぬ瞬間の5つの後悔』仁木めぐみ訳（新潮社、2012年）
4 Kaufman, W（ed）（1989） *Existentialism from Dostoyevsky to Sartre*, Meridian Publishing Company, Chapter 10, Part 4 サルトルが1945年10月におこなった講演録の邦訳としては、「実存主義はヒューマニズムである」伊吹武彦訳（『実存主義とは何か（増補新装版）』（人文書院、1996年）などがある。

ーリング、2000年）

3 Ryle, G(1949) *The Concept of Mind*, Hutchinson, London　ギルバート・ライル『心の概念』坂本百大、井上治子、服部裕幸訳（みすず書房、1987年）

4 Soros, G(2003) *The Alchemy of Finance*, John Wiley, Hoboken, New Jersey　ジョージ・ソロス『ソロスの錬金術』青柳孝直訳（講談社、1988年）

5 Ibid, Section 12

6 Ibid, Section 12

7 Ibid, Section 7

8 Quoted in Good, I G(1962) *The Scientist Speculates*, Heinemann, London

9 Casson, M(1982) *The Entrepreneur: An economic theory*, Barnes and Noble, Totowa, New Jersey, p. 14

10 Quoted in Caulkin, S(2006) The more we manage, the worse we make things, *The Observer*, 1 October

11 King, A and Crewe, I(2014) *The Blunders of Our Governments*, Oneworld Publications, London

12 Hame, G and Zanini, M(2017) Assessment: Do you know how bureaucratic your organization is? *Harvard Business Review*, 16 May

13 Ambler, T(2003) *Marketing and the bottom line*, Pearson, London

14 Sutherland, R(2009) Why advertising needs behavioural economics, *Campaign*, 23 October

15 Frankfurt, H(2005) *On Bullshit*, Princeton University Press　ハリー・G・フランクファート『ウンコな議論』山形 浩生訳（筑摩書房、2006年）

16 Medawar, P B(1967) *The Art of the Soluble*, Methuen, London

## 第5章　「お手本」のありかたと公平さ

1 Perutz, M(2003) I *wish I'd Made You Angry Earlier: Essays in science, scientists, and humanity*, Cold Springs Harbour Laboratory Press

2 Quoted by Andrew Tucker in his Obituary of Max Perutz, *The Guardian*, 7 February, 2002

3 Ibid

4 Quoted by Kiyoshi Nagai in his obituary of Max Perutz, *The Biochemist*, June 2002

5 Plutarch, *Parallel Lives* (SMK Books, 2014), translated by Aubrey Stewart　プルタルコス『プルタルコス英雄伝』村川堅太郎編（ちくま文庫、1987年）

6 Rawls, J(1971) *A Theory of Justice*, Harvard University Press, Boston MA　ジョン・ロールズ『正義論』川本隆史、福間聡、神島裕子訳

7 Morgan, G(2006) *Images of Organization*, Sage, London

8 Quoted in Hamel, G(2012) *What Matters Now* Jossey-Bass, San Francisco, p. 234　ゲイリー・ハメル『経営は何をすべきか』有賀裕子訳（ダイヤモンド社、2013年）

9 Kim, W C and Mauborgne, R(2003) Fair process: managing in the knowledge economy, *Harvard Business Review*, January　W・チャン・キム、レネ・モボルニュ「フェア・プロセス ― 協力と信頼の源泉」『DIAMONDハーバード・ビジネス・レビュー』2008年8月号

## 第6章　権限という贈り物

1 Hobbes, T *Leviathan* (1651)　T. ホッブズ『リヴァイアサン』水田洋訳（岩波書店、1992年）他

2 Kant,I (1785) *Groundwork for the Metaphysics of Morals*,　カント『道徳形而上学の基礎づけ』中山元 訳（光文社、2012年）他

3 Smith,A (1759) *Moral Sentiments*　アダム・スミス『道徳感情論』水田洋訳（岩波書店、2003年）他

4 カントは、人間の義務には常に果たすべき完全義務（例：人を殺してはならない）と、できるだけ果たすべき不完全義務（例：人には親切にしなければいけない）の二種類があるとし、ふたつを区別している。

## 第7章　意味とコミュニケーション

1 Epictetus(c. AD 125) *The Enchiridion*, various editions　エピクテートス「提要」『人生談義

# 注


## まえがき

1 Drucker, P(2000) *The Essential Drucker: The best of sixty years of Peter Drucker's essential writings on management*, Taylor and Francis ピーター・F・ドラッカー『チェンジ・リーダーの条件』上田惇生編訳（ダイヤモンド社、2000年）

2 Goddard, J(2018) The Power Paradox, *London Business School Review*, 29(2), May, pp 14-17

## はじめに――職場に人間らしさを取り戻そう

1 Marx, K(1814) The economic and philosophical manuscripts of 1841, in *Karl Marx, Early Writings*, trans T B Bottomore, McGraw Hill, 1963 マルクス『経済学・哲学草稿』城塚登、田中吉六訳（岩波文庫、1964年）

## 第１章　あなたの夢を取り戻してくれるのは誰か？

1 Feldman, R(2008) Whole life concepts of happiness, *Theoria*, 74(3), pp. 219-38

2 Nussbaum, M(2012) Who is the happy warrior? Philosophy, happiness, research and public policy, *International Review of Economics*, 59, pp. 335-61

3 Nozick, R(1974) *Anarchy, State and Utopia*, , Basic Books, New York, pp. 42-45 ロバート・ノージック『アナーキー・国家・ユートピア――国家の正当性とその限界 』嶋津格訳（木鐸社、1995年）

4 Seligman, M E P(2002) *Authentic Happiness*, Free Press, New York マーティン・セリグマン『世界でひとつだけの幸せ―ポジティブ心理学が教えてくれる満ち足りた人生』小林裕子訳（アスペクト、2004年）

## 第２章　理性と情熱を兼ね備えた職場

1 Janis, I L(1971) Groupthink, *Psychology Today*, 5(6), pp. 43-46; 74-76

2 Nietzsche, F(1888) *Ecce Homo*, p. 95 ニーチェ『この人を見よ』丘沢静也訳（光文社古典新訳文庫、2016年）

## 第３章　戦略も人間らしく

1 Porter, M E(1980) *Competitive Strategy: Techniques for analyzing industries and competitors*, Free Press, New York M. E. ポーター『競争の戦略』土岐坤、服部照夫、中辻万治訳（ダイヤモンド社、1995年）

2 Williamson, O E(1979) Transaction-cost economics: the governance of contractual relations, *The Journal of Law & Economics*, 22 (2), pp. 233-61

3 Smith, B, Kruschwitz, N and Senge, P(2008) *The Necessary Revolution: How individuals and organizations are working together to create a sustainable world*, Nicholas Brealey Publishing ピーター・センゲ、ブライアン・スミス、ニーナ・クラシュウィッツ、ジョー・ロー、サラ・シュリー『持続可能な未来へ』有賀裕子訳（日本経済新聞出版、2010年）

4 インドラの網。比喩については、以下のシンポジウムを参考にした。Fox, A(April 2013) The practice of Huayan Buddhism, presentation to Inaugural Symposium on Chinese Buddhism, Fo Guang University, Kaohsiung, Taiwan

## 第４章　創造性とクリティカルシンキング

1 Lynch, P(2000) *One Up on Wall Street* Simon & Schuster, First Fireside edition, New York ピーター・リンチ、ジョン・ロスチャイルド『ピーター・リンチの株で勝つ――アマの知恵でプロを出し抜け』三原淳雄、土屋安衛 訳（ダイヤモンド社、2001年）

2 Buffett, W(1997) *The Essays of Warren Buffett: Lessons for Corporate America*, selected, arranged and introduced by Lawrence A. Cunningham, Carolina Academic Press ローレンス・A・カニンガム『バフェットからの手紙』増沢浩一監訳（パンロ

**著者**

**アリソン・レイノルズ** Alison Reynolds

ハルト・インターナショナル・ビジネススクール・アシュリッジ校企業幹部向けプログラムのファカルティ・メンバー。

**ドミニク・ホウルダー** Dominic Houlder

ロンドン・ビジネススクール講師。専門は戦略および起業家的経営。事業戦略家として国際的に知られている。

**ジュールス・ゴダード** Jules Goddard

ロンドン大学シティ校グレシャム・カレッジ商学教授を経て、ロンドン・ビジネススクール教授。専門はマーケティング。

**デイヴィッド・ルイス** David Lewis

ロンドン・ビジネススクール経営幹部向けプログラムのディレクター。戦略およびリーダーシップ分野の著名な専門家でもある。

**訳者**

**石井ひろみ** Hiromi Ishii

英語翻訳者。南山大学文学部卒。イリノイ大学経営大学院で起業学とファイナンスを専攻し、ＭＢＡを取得。米国公認会計士（ＣＰＡ）として現地法人で働いたのち、翻訳者に。訳書に『Google×スタンフォード NO FLOP! 失敗できない人の失敗しない技術』（サンマーク出版）がある。



装丁＋本文デザイン　竹内淳子（株式会社新藤慶昌堂）
校正　円水社
翻訳協力　リベル

# よきリーダーは哲学《てつがく》に学《まな》ぶ

2020年8月7日　初版発行

著　者　アリソン・レイノルズ、ドミニク・ホウルダー、
　　　　ジュールス・ゴダード、デイヴィッド・ルイス

訳　者　石井ひろみ

発行者　小林圭太

発行所　株式会社ＣＣＣメディアハウス
〒141－8205東京都品川区上大崎3丁目1番1号
電話　販売　03-5436-5721
　　　編集　03-5436-5735
http://books.cccmh.co.jp

印刷・製本　株式会社新藤慶昌堂


ISBN978-4-484-20106-1

定価には別途税が加算されます。

## CCCメディアハウスの本

### アイデアのつくり方
ジェームス・W・ヤング　今井茂雄［訳］　竹内均［解説］

〝どうやってアイデアを手に入れるか〟への解答がここにある！　今なお読み継がれる、アメリカの超ロングセラー発想術。60分で読めるけれど一生あなたを離さない本。

●八〇〇円　ISBN978-4-484-88104-1

### 考具
加藤昌治

考えるための道具、持っていますか？　簡単にアイデアが集まる！　拡がる！　企画としてカタチになる！　そんなツールの使い方、教えます。学生からエグゼクティブまで、アイデアが欲しいすべての人に。

●一五〇〇円　ISBN978-4-484-03205-4

### 20歳のときに知っておきたかったこと
スタンフォード大学集中講義

ティナ・シーリグ　高遠裕子［訳］　三ツ松新［解説］

「決まりきった次のステップ」とは違う一歩を踏み出したとき、すばらしいことは起きる――起業家精神とイノベーションの超エキスパートによる「この世界に自分の居場所をつくるために必要なこと」。

●一四〇〇円　ISBN978-4-484-10101-9

### 未来を発明するためにいまできること
スタンフォード大学集中講義Ⅱ

ティナ・シーリグ　高遠裕子［訳］　三ツ松新［解説］

ベストセラー『20歳のときに知っておきたかったこと』の著者による第2弾！　人生における最大の失敗は、創造性を働かせられないこと。自分の手で未来を発明するために、内なる力を解放しよう。

●一四〇〇円　ISBN978-4-484-12110-9

### スタンフォード大学　夢をかなえる集中講義
ティナ・シーリグ　高遠裕子［訳］　三ツ松新［解説］

情熱なんて、なくていい――それはあとからついてくる。アイデアも創造力も解決策も。ひらめきを生んで実現するのは才能ではなくスキルです。起業家育成のエキスパートによる「夢へのロードマップ」。

●一五〇〇円　ISBN978-4-484-16101-3

## CCCメディアハウスの本

定価には別途税が加算されます。

### Creative Calling クリエイティブ・コーリング
創造力を呼び出す習慣
チェイス・ジャービス　多賀谷正子［訳］

創造性で大切なのは技術ではなく、習慣。心の声に従えば創造力が生まれ、向かうべき道が見えてくる。トップクリエイターが講師陣をつとめる、「CreativeLive」のCEOによるわくわくする人生の設計方法。

●一七〇〇円　ISBN978-4-484-20103-0

### ハーバードの自分を知る技術
悩めるエリートたちの人生戦略ロードマップ
ロバート・スティーヴン・カプラン　福井久美子［訳］

学生や社会人が今日も悩み相談に訪れる。「自分は何がしたいのか、本当にわかっていますか？」ハーバード・ビジネススクールの〝キャリア相談室長〟が教える〝ハーバード流〟人生戦略の立て方。

●一五〇〇円　ISBN978-4-484-14111-4

### ハーバードの〝正しい疑問〟を持つ技術
成果を上げるリーダーの習慣
ロバート・スティーヴン・カプラン　福井久美子［訳］

うまくいくリーダーとうまくいかないリーダーの分かれ道とは？　リーダーが突き当たる7つの問題に、どう向き合うべきか。カプラン教授による問いかけによって、自ら考え、答えを導き出す訓練をする。

●一六〇〇円　ISBN978-4-484-15117-5

### 「自分の殻」を打ち破る ハーバードのリーダーシップ講義
ロバート・スティーヴン・カプラン　福井久美子［訳］

ハーバードシリーズ第3弾。誰もがリーダーになるための教科書。ハーバード・ビジネス・スクールの教授で、ゴールドマン・サックスの副会長を務めたカプラン教授による、渾身のリーダーシップ論。

●一五〇〇円　ISBN978-4-484-16108-2

### ブランド人になれ！
トム・ピーターズのサラリーマン大逆襲作戦①
トム・ピーターズ　仁平和夫［訳］

誰にも頼らず自分の力で生きていける人、それがブランド人だ！　時代の最前線を走り、独創的な言動で、驚きと賞賛をもって世界各国のビジネスマンに迎えられる著者による、サラリーマンのバイブル第一弾。

●一三〇〇円　ISBN978-4-484-00307-8